MARGUERITE DURAS

LE SQUARE

Edited by

CLAUDE MORHANGE BÉGUÉ

The Macmillan Company, New York

FOREWORD

Le Square is one of the most challenging and fascinating crea-
tions of the experimental writers belonging to what one might
call, for want of a better term, the "post-existentialist" period.
The strictly controlled dialogue, playing the two voices one
against the other, and the starkly simple, yet so distinctly human,
situation it reveals are the specific hallmarks of Marguerite
Duras' fictional world.

Le Square deals with some of the themes basic to contemporary literature and familiar to us all: human solitude, the need
to communicate, to establish one's own identity, etc. But their
esthetic resolution is most distinctive, revealing Marguerite
Duras as a writer whose sensitivity to seldom formulated, vaguely
apprehended latent inner moods, hopes, refusals, and resigna-
tions is exceptionally acute. Dialogue in her hands is a privi-
leged tool of fictional creation. *Le Square* is written entirely to
be spoken aloud. Students, familiar with the "stream of con-
sciousness" techniques, will discern in the double soliloquy that
moves toward dialogue the associations, repetitions, and verbal
patterns which reveal two mental worlds, two lives. Vocabulary
and syntax are simple — alluding to concrete, everyday things
and situations. Yet the situation remains enigmatic, and its sig-
nificance stimulates the mind of the reader, reaches out to his
emotions, and awakens his concern.

iii

Mrs. Bégué's careful and lucid introduction and notes open the way to pertinent discussion, questions of technique and interpretation, leading to fruitful insights into the problems of literary creation. *Le Square* could, it would seem, furnish good second-year classes in French with stimulating and yet accessible reading.

Germaine Brée

Contents

INTRODUCTION

A man and a young girl happen to be sitting on a bench in a public park. The man is not doing anything. The girl is looking after a little boy playing somewhere nearby. A simple word concerning the child, and thus begins a dialogue between the man and the girl. The child wanders around, comes back, asks for his milk, goes off again, and comes back once more. Darkness approaches. The girl leaves with the child. Nothing has happened. A novel has been born.

"*Roman,*" such is the label on the title page of *Le Square,* and we do indeed recognize the initial situation of many a novel: the accidental meeting of a man with a young woman.[1]

But, contrary to our expectations — and to the French tradition of the novel — the similarity stops here, the romance dies before it has started, the protagonists do not say a single word of love. A man, a girl, sit on a public bench and talk. What is their dialogue about? At first they talk about the child, then slowly they transfer their attention toward themselves. The man is a traveling salesman, the girl works in a family as a maid. The dialogue, at first trivial, starts these two lonely people off on a quest for the self; it reaches toward something essential, wanders, starts again, repeating itself and going ever deeper in an effort to achieve clear

[1] The French word *roman* has the same origin as romance, a love story.

1

communication. At the same time these two characters, whose active lives are so empty, are in a sense creating their own selves as they talk. Each word, besides being an instrument of research, is also a tool of creation. The man and the girl — especially the girl — are dimly conscious of this process of creation. This is apparent in their repeated assertions that it does them good to talk, that it does no one any harm; it is as if they had to apologize in advance for being so brash as to assert their own *being*.

Beyond a totally mechanical and functional *existence* — food, the salesman's travels, the girl's household duties — [they are trying to bring to light their own individual *essences*.] Since their lives so far have made it impossible for them to be individuals, it is only when they begin talking that their personalities take shape. To confess a desire is tantamount to giving it life; it almost makes it real. Hence the fastidious honesty with which they reveal their minds — for this is a serious matter — and, paradoxically, the insistence on discovering the other person's true self. Neither one can let the other be mistaken or let him falsify what he really is, thus arresting his development by creating a false self.

The setting as well as subject matter of their conversation is the daily way of life of the little people without hope — of the failures. They have no social position, no property, and no expectation of ever bettering their condition on earth. The man has given up struggling for lack of faith; he has come to believe that comfort and material success are beyond his reach. He feels different from others and accepts that difference which, at least, gives him freedom of mind. The girl has lost the feeling of belonging to the world and, with it, the sense of her individuality. This sense of estrangement goes back to the time when, without being consulted, she was sent into domestic service. She had been sixteen and it was springtime. Since then, her role in society has turned her into a purely functional entity, employed to cook, clean house, take the child out, and care for a senile woman; no one, not even the child, sees her as an independent individual ✓ being. Conditions have annihilated her sense of identity. If she is somehow to be recreated as a person, if life is at least to start for her, she must be chosen by someone; this explains the importance of the theme of marriage in the book, the real theme of[creation or of *re-creation.*]

While she waits for this rebirth, the girl refuses to give herself except physically and functionally to the existence imposed on her. To surrender to such an existence and to try to improve it, however little, would imply that she gave ✓ it recognition, perhaps even accepted it. It would mean that she accepts being a cipher, a mere convenience, to be treated with indifference, fed the same steak as the expensive dog, but deprived of the recognition that the dog can command. On the contrary, she deliberately "aggravates"[2] her situation by accepting every new chore, however unfair or dis- ✓ gusting, in the hope that one fine day she will be forced out of this way of life because she cannot bear it any longer.

At first sight her attitude appears to be the opposite of the man's, and it seems to be naive. He has a certain amount of experience, she still knows nothing of life — or at least so she believes. He has no ambitions, she hopes to escape. He relies on no one but himself, while she is only waiting for someone else to choose her. Yet, by the end of the book it is revealed — in the very words of the characters and in the meanings they have agreed to put upon these words — that the girl is a hero while the man is a coward.

This apparent paradox is explained by their respective attitudes with regard to the idea of struggle. The man has ✓ been resigned for a long time to change his own desires rather than the order of the world. His state seems to be

[2] The word belongs to Jean Genet who uses it to describe a similar reaction in his own childhood. Genet's play *Les Bonnes* (1947) — an extensive presentation of the maid's *aliénation* in society — is worth mentioning as a possible source of inspiration for Marguerite Duras's novel. Another source might be found in Jean Cocteau's poem *Anna la bonne.*

Concepts of struggle

very close to the indifference of the Stoics, but an indifference founded on despair rather than on reasoning. The girl's attitude results from a provisional acceptance of the way things are in the world, but an acceptance that will in the end lead to a complete overturning. She has no hope of making the world better, nor is she trying to rebel against it. Rather she wants to exacerbate to its utmost limit every feature of the world as she now sees it, to such a degree that it can only collapse about her. What she is trying to produce is the equivalent of a revolution in the framework of her own individual life.

Even though she expects the help of someone else to set off the revolutionary act, she is nonetheless concerned to make impossible any compromise on her own part. This is why she refuses to better her lot (which she could do by changing to another household), or to rebel (by killing the old lady). It is because it is intransigent that her despair is constructive.

With regard to the part played by "someone else" in this revolution, it is necessary to see that the very fact of being chosen is equivalent to an act of rehabilitation. To be chosen means to be restored to herself — reinstated. That is why she insists on being chosen in a little dance hall in the fourteenth *arrondissement,* in a dance hall frequented by servants and soldiers (and not in a strange town where she could lie about her position), so that a man may choose the *maid* and prove thereby that a maid is also a *person.* That is why the girl cannot "escape" by herself; even if she learned a trade and ceased to be a maid, she could never efface the stain which is at the very heart of her self-image, the scorn that *she* feels for herself insofar as she is reduced to a machine; that is why it would be no use for her to enroll in a political party.

However, and still in the words of the characters, the girl's courage is presented as a little shameful in comparison with the man's particular form of cowardice. The two characters seem to be drawn closer by the recognition that each of them does what *he* can, and with his *own* means, and this is all that matters. Hopelessness in the present world is the link between the two characters. It is this that leads them to give the same meanings to the words they use; and this, in turn, allows them to engage in a genuine dialogue.

The form of the novel might at first seem disconcerting: a dialogue without action, avoiding both narration and description, it introduces the reader directly into the inner life of two persons in the manner of a play, revealing the characters exclusively through their words. Nothing happens, and there is no *dénouement;* in real life, too, from Marguerite Duras's point of view, no *events* worth mentioning ever happen. The *details* — the word is the author's — of a life may change and, consequently, the life itself be modified, but the social circumstances will still remain the same (or at least such circumstances as the writer chooses to show us). Whether or not the girl sees the man again, whether or not she marries him, or indeed marries at all (although the author vaguely suggests that this will most probably happen within a few months), there will always be ten other young girls about to be forced into domestic service by their avid mothers or by their own poverty. This particular girl (to whom the author purposely does not give a name, for she is universal) will merely be replaced by another young girl, another individual who will lose her identity. Nothing really will have happened, since another innocent person will replace the innocent person who has made an escape.

Yet is there really such a thing as escape? Probably not, if one is to judge from reading Marguerite Duras's bitter-sweet story. For the man, too, is alone. He is certainly freer, having come to terms with himself, his actions, his poverty, and his lack of importance in society. He has mastered his feelings and alludes to them only with a deceptive casualness. Yet he

confesses his despair and is perpetually confronted with the
barriers of his solitude. His is the same solitude as Roquen-
tin's in Jean-Paul Sartre's *La Nausée*[3] or as that of Samuel
Beckett's characters — a complete, incurable and *accepted*
solitude of the mind. In Marguerite Duras's eyes, man is a
lonely being, human fate is loneliness, and no one can help
it. If no one can help it, then the sum of the actions of a
human being has no importance since *there is nothing to be
done,* since no human gesture can modify human fate, since
God is dead and "it is no one's mission to reward our personal merits."[4] If the sum of the actions of a human being
has no importance, then the work of art — the novel in this
case — will not represent them: for the work of art should
aim only, according to Marguerite Duras, at showing the
essence of things. As the Spanish philosopher Ortega y Gasset
pointed out, the modern novel must then concentrate upon
the character rather than his actions. "Interest [will] shift
from plot to figures, from actions to persons."[5]

Like a painting, the novel will appeal to the contem-
plative part of man, the part that considers, examines, and
reflects. As in some of the contemporary theater — Brecht's
theater, or the so-called theater of the Absurd — the novel
will try to create a *distance* between the reader and the character, so that it may appeal to the reader's mind rather than
to his sentimentality. Beyond the elementary identification
of the reader with the character, there will then be a moment
for contemplation, a moment for meditation.

Not that sensitivity is foreign to Marguerite Duras's
novel. If, as Ortega y Gasset says, "to enjoy a novel we must
feel surrounded by it on all sides,"[6] *Le Square* amply fulfills
that requirement through the immediacy of the dialogue

[3] Published in 1938.
[4] *Le Square,* p. 67.
[5] Ortega y Gasset, José, "Notes on the Novel," in: *Dehumanization
of Art,* Princeton University Press, 1948, p. 67.
[6] "Notes on the Novel," p. 97.

form, the accuracy of its nuances, the restraint of its characters and the inner qualities revealed by it, the richness and the sensuality of the rare images of happiness briefly evoked — the cherries, the golden manes of the lions in the sunset — through the simple strength of the scenes that revolt us and are meant to do so. The dialogue allows the author to withdraw outside her characters. Cutting out description and commentary, it presents only what the characters say, that is *themselves*. It also eliminates any trace of didacticism, since it is only by degrees that the truths that Marguerite Duras wishes to convey are born and slowly mature before our eyes. The perfectly natural dialogue, dealing with the human lot, never wanders off into generalities. It remains simple, *incarnate* in the object presented, in the richness of the detail, in the restraint of the understatement.

One could probably write a whole book about Marguerite Duras's [power of understatement] which she uses as a completely natural substitute for the usual comments of the writer on his characters. In *Le Square* there is no need to say that the girl is ashamed of her function or that the two characters take delight in remembering a brief moment of past happiness. The use of a plural pronoun, less personal than the singular, or the repetition of a colorful image evoke shame or nostalgia much more forcefully than any description. The language, too, is quite conversational, full of exclamations, of every-day idioms (several of them repeated over and over again), with a few incorrect subjunctives. Better than any description it reveals the rather low position of the characters in the social scale and also the difference in their education. Yet it is kept under strict control by the author, whose mastery of language is clearly manifest in the simplicity and power of her style.

Marguerite Duras was born in Indochina of French parents and remained there for seventeen years. She then studied mathematics and law at the University of Paris and graduated from the School of Political Science. She is mostly known in the United States for the scenario of *Hiroshima, mon amour.* She has written nine novels: *Les Impudents* (1943), *La Vie tranquille* (1944), *Un Barrage contre le Pacifique* (1950), *Le Marin de Gibraltar* (1952), *Les Petits Chevaux de Tarquinia* (1953), *Le Square* (1955), *Moderato cantabile* (1958), *Dix Heures et demie du soir en été* (1960), *L'Après-midi de Monsieur Andesmas* (1962). Several of these have been translated into English and published in the United States. Movies have been made out of *Le Marin de Gibraltar* and *Moderato cantabile.* She has also written a book of short stories, *Des Journées entières dans les arbres* (1954), and a play, *Les Viaducs de Seine-et-Oise* (1960). This play and an adaptation of *Le Square* were successfully performed in Paris.[7]

Marguerite Duras has often been considered by the critics as one of the "new" novelists. Like all the novelists grouped under this label, she obviously wishes to find ways of giving the novel new life. She is, however, a very distinctive figure in the group.[8] More than any of them, she has succeeded in keeping a balance between the traditional devices used in narrative fiction and the new. She has retained a very strong interest in the traditional character, but she has especially emphasized the side of him that is alone and dispossessed in the modern sense. Her work is marked by warmth, understanding, and compassion, qualities combined with the power to convey immediately to the reader the full strength and color of what she is depicting. Nowhere have her talent and potential been more fully realized than in *Le Square.*

[7] Marguerite Duras has also contributed to the scenario of *Une Aussi Longue Absence* (in collaboration with Gérard Jarlot) and to an adaptation for the Parisian stage of Henry James's *The Beast in the Jungle* (in collaboration with James Lord).

[8] The group, which includes among others Alain Robbe-Grillet, Michel Butor, and Nathalie Sarraute, has always denied its existence as a school.

I

L'ENFANT arriva tranquillement du fond du square et se planta devant la jeune fille.

«J'ai faim», déclara-t-il.

Ce fut pour l'homme l'occasion d'engager la conversation.

«C'est vrai que c'est l'heure de goûter[1]», dit-il. ⁵

La jeune fille ne se formalisa pas. Au contraire, elle lui adressa un sourire[2] de sympathie.

«Je crois, en effet, qu'il ne doit pas être loin de quatre heures et demie, l'heure de son goûter.»

Dans un panier à côté d'elle, sur le banc, elle prit deux ¹⁰ tartines recouvertes de confiture et elle les donna à l'enfant. Puis, adroitement, elle lui noua une serviette autour du cou.

«Il est gentil», dit l'homme.

La jeune fille secoua la tête en signe de dénégation. ¹⁵

«Ce n'est pas le mien», dit-elle.

L'enfant, pourvu de tartines, s'éloigna. Comme c'était jeudi,[3] il y en avait beaucoup, d'enfants, dans ce square, des

---

[1] **goûter** *At four o'clock French children eat a couple of slices of bread with butter or jam or chocolate (**tartines**) and sometimes they drink a glass of milk or fruit juice.*

[2] **elle lui adressa un sourire** = *elle lui sourit.*

[3] **Comme c'était jeudi** *In France there is no school on Thursday, but Saturday is a school day.*

11

grands qui jouaient aux billes ou à se poursuivre,[4] des petits
qui jouaient au sable,[5] des plus petits encore qui, patiem-   20
ment, dans des landaus, attendaient que l'heure fût venue
pour eux de rejoindre les autres.

«Remarquez, continua la jeune fille, qu'il pourrait être
le mien, et que souvent on le prend pour le mien. Mais je
dois dire que non, il n'a rien à voir[6] avec moi. *nothing to do*   25

— Je comprends, dit l'homme en souriant. Je n'en ai pas
non plus.

— Quelquefois cela paraît curieux qu'il y en ait tant, et
partout, et qu'on n'en ait aucun à soi,[7] vous ne trouvez
pas?   30

— Sans doute, Mademoiselle, mais il y en a tellement
déjà, non?

— N'empêche,[8] Monsieur.[9] *jo matter*

— Mais quand on les aime, quand ils vous plaisent beaucoup, est-ce que cela n'a pas moins d'importance?   35

— Ne pourrait-on pas dire aussi bien le contraire?

— Sans doute, Mademoiselle, oui, cela doit dépendre de
son caractère. Et il me semble que certains peuvent se contenter de ceux qui sont déjà là. Et je crois bien que je suis
de ceux-là,[10] j'en ai vu beaucoup, et je pourrais en avoir à   40
moi aussi, mais, voyez-vous, j'arrive à me contenter de
ceux-là.

— Vous en avez vu tellement, Monsieur, vraiment?

— Oui, Mademoiselle. Je voyage.

— Je vois, dit aimablement la jeune fille.   45

[4] **des grands qui jouaient . . . à se poursuivre**   older ones who played
. . . tag.
[5] **au sable**   with sand.
[6] **rien à voir**   nothing to do.
[7] **et qu'on n'en ait aucun à soi**   and that one should not have any.
Qui est-ce que **on** *représente? Pourquoi ne le dit-elle pas?*
[8] **N'empêche** = (*cela*) *n'empêche* (*pas*)   It doesn't make any difference.
[9] **Monsieur**   *Has a much less formal value than the American* sir; *it is
the ordinary way to address an unknown gentleman.*
[10] **que je suis de ceux-là**   that I am one of those.

— Sauf en ce moment où je me repose, je voyage tout le temps.

— C'est un endroit bien indiqué, les squares, pour se reposer, en effet, surtout en cette saison. J'aime bien les squares, moi aussi; être dehors. 50

— Ça ne coûte rien, c'est toujours gai à cause des enfants, puis, quand on ne connaît pas grand monde, de temps en temps, on y trouve l'occasion de parler un peu.

— Oui, c'est vrai que de ce point de vue aussi c'est bien pratique. Vous vendez des choses, Monsieur, tout en 55 voyageant?

— Oui, c'est ça mon métier.

— Toujours les mêmes choses?

— Non, des choses différentes, mais petites, vous savez, de ces petites choses dont on a toujours besoin et qu'on 60 oublie si souvent d'acheter. Elles tiennent toutes dans une valise de grandeur moyenne. Je suis, si l'on veut,[11] une sorte de voyageur de commerce, vous voyez ce que je veux dire.

— Que l'on voit sur les marchés, la valise ouverte devant vous? 65

— C'est ça, oui, Mademoiselle, on me voit aux abords des marchés de plein air.

— Est-ce que je peux me permettre de vous demander si cela est d'un revenu régulier, Monsieur?

— Je n'ai pas à me plaindre,[12] Mademoiselle. 70

— Je ne le pensais pas, voyez-vous.

— Je ne dis pas que ce revenu est important, non, mais tous les jours on gagne quelque chose. C'est ça que j'appelle régulier.

— Vous mangez donc à votre faim,[13] Monsieur, si j'ose 75 encore me permettre?

— Oui, Mademoiselle, je mange à peu près à ma faim.

---

[11] **si l'on veut**   as one might say.
[12] **Je n'ai pas à me plaindre**   I have no complaints.
[13] **à votre faim**   *Pourquoi pose-t-elle cette question?*

Je ne veux pas dire par là[14] que je mange tous les jours de la
même façon, non, il arrive quelquefois que c'est un peu
juste, mais enfin j'arrive à manger tous les jours, oui.   80

— Tant mieux,[15] Monsieur.

— Merci, Mademoiselle. Oui, j'y arrive à peu près tous
les jours, voyez-vous. Je n'ai pas à me plaindre. Comme je
suis seul et que je n'ai pas de domicile, je n'ai naturellement
que peu de soucis. Les seuls que j'aie me concernent moi   85
seul. Quelquefois, il me manque un tube de dentifrice,
quelquefois encore je manque un peu de compagnie, mais
à part ça, cela peut aller,[16] Mademoiselle, oui, je vous remercie.

— Est-ce là un travail à la portée de tout le monde,[17] 90
Monsieur? Le croyez-vous tout au moins?

— Oui, Mademoiselle, tout à fait. C'est même le travail
par excellence qui soit[18] à la portée de tout le monde.

— Voyez-vous, je pensais qu'il fallait, pour faire ce
travail-là, certaines qualités indispensables.   95

— A la rigueur il vaut mieux savoir lire, à cause de la
lecture du journal, le soir, dans les hôtels, du nom des gares,
parce que cela vous facilite la vie, mais c'est à peu près tout.
C'est peu, et, voyez, on mange à peu près à sa faim, et tous
les jours.   100

— Moi, je pensais à d'autres qualités, à des qualités
d'endurance, de patience plutôt, et aussi de persévérance.

— Comme je n'ai jamais fait que ce genre de travail-là,
je peux mal en juger, mais il m'a toujours paru que ces
qualités que vous dites, il les fallait[19] dans la même mesure   5
pour n'importe quel autre travail, pas moins.

---

[14] **par là**   by that.
[15] **Tant mieux**   That's good.
[16] **cela peut aller**   it's all right.
[17] **Est-ce là un travail à la portée de tout le monde?**   Could just anyone do that work?
[18] **qui soit** = *qui est.*
[19] **que ces qualités . . . il les fallait**   that those qualities . . . were
necessary.

— Si j'ose me permettre encore, Monsieur, est-ce que vous pensez que cela va durer pour vous de voyager comme ça? Croyez-vous que vous vous arrêterez un jour?

— Je ne sais pas.

— On cause, n'est-ce pas, Monsieur. Excusez-moi encore de vous poser ces questions.

— Je vous en prie, Mademoiselle... Mais je ne sais pas si cela va durer. Vraiment je ne peux rien vous dire d'autre, je ne le sais pas. Comment savoir?[20]

— C'est-à-dire qu'il semblerait qu'à voyager ainsi tout le temps, on doive un jour vouloir s'arrêter,[21] c'est dans ce sens-là que je vous le demandais.

— Il semblerait, en effet, qu'on devrait le vouloir, c'est vrai. Mais comment s'arrête-t-on de faire un métier et en choisit-on un autre? Comment abandonne-t-on ce métier-ci pour ce métier-là, et pourquoi?

— Si je comprends bien, de cesser[22] de voyager ne dépend donc que de vous seul, Monsieur, et non d'autre chose?

— C'est-à-dire que je n'ai jamais très bien su comment ces choses-là se décidaient.[23] Je ne connais personne en particulier, je suis un peu isolé. Et, à moins qu'un jour une grande chance ne m'atteigne,[24] je ne vois pas comment je changerais de travail. Et je ne vois pas non plus de quel côté de ma vie cette chance pourrait me venir, d'où elle pourrait souffler. Je ne veux pas dire qu'elle ne pourrait pas souffler un jour, n'est-ce pas, on ne peut jamais savoir, ni que, si elle soufflait, je ne l'accueillerais pas volontiers, non, loin de là, mais pour le moment, vraiment, je ne vois pas d'où elle pourrait me venir et m'aider à m'y décider.

---

[20] **Comment savoir?** How can one know? *Quel trait de son caractère apparaît ici?*

[21] **il semblerait . . . vouloir s'arrêter** it would seem to me that such continuous travel would make you want to stop one day.

[22] **de cesser** = *cesser.*

[23] **se décidaient** were decided.

[24] **à moins qu'un jour . . . m'atteigne** unless some day a great bit of luck comes my way.

— Mais, Monsieur, ne pourriez-vous pas, par exemple, le vouloir tout simplement? Vouloir changer de travail?

— Non, Mademoiselle. Je me veux[25] tous les jours propre, nourri, et en plus je veux dormir, et en plus encore je me veux vêtu de façon décente. Alors comment aurais-je le loisir 40 de vouloir davantage? Et puis, je dois l'avouer ça ne me déplaît pas de voyager.

— Excusez-moi, Monsieur, mais puis-je[26] me permettre encore de vous demander comment cela vous est arrivé?

— Comment vous dire?[27] Ces histoires-là sont longues, 45 compliquées, et au fond je les trouve un peu hors de ma portée.[28] Il faudrait sans doute remonter si loin que l'idée en fatigue à l'avance. Mais en gros, je crois que cela m'est arrivé comme à un autre, Mademoiselle, pas autrement.»

La brise s'était levée. On devinait à sa tiédeur[29] l'ap- 50 proche de l'été. Elle balaya les nuages et la chaleur nouvelle se répandit sur la ville.

«Comme il fait beau, dit l'homme.

— C'est vrai, dit la jeune fille. C'est presque le commencement de la chaleur. De jour en jour il va faire plus 55 beau.

— Vous comprenez, Mademoiselle, je n'avais de disposition particulière pour aucun métier, ni pour une existence quelconque. Au fond, je crois que cela va durer pour moi, oui, je le crois. 60

— Vous n'aviez que des répugnances, alors, pour toutes les existences et pour tous les métiers?

— Pas de répugnances, non, ce serait trop dire, mais pas de goûts non plus. J'étais comme la plupart des gens, en somme. Cela m'est arrivé comme à tout le monde, vraiment. 65

— Mais entre ce qui vous est arrivé il y a longtemps et

---

[25] **Je me veux**   I want to be.
[26] **puis-je**   may I.
[27] **Comment vous dire?**   How should I say?
[28] **hors de ma portée**   beyond me.
[29] **à sa tiédeur**   from its mildness.

ce qui vous arrive maintenant, chaque jour, n'a-t-on pas le
temps de changer et de prendre goût à autre chose, à quelque
chose?

— Eh bien! oui, je ne dis pas,[30] pour beaucoup cela doit ar- 70
river, oui, mais pour certains, non. Il y en a qui doivent s'ac-
commoder de ne jamais changer. Au fond, ce doit être mon
cas. Et vraiment, je le crois, pour moi, cela va durer.

— Pour moi, Monsieur, cela ne durera pas.[31]

— Pouvez-vous déjà le prévoir, Mademoiselle? 75

— Oui. Mon état n'est pas un état qui puisse durer. Il est
dans sa nature de se terminer tôt ou tard. J'attends de me
marier. Et dès que je le serai,[32] c'en sera fini pour moi de cet
état.

— Je comprends, Mademoiselle. 80

— Je veux dire qu'il laissera aussi peu de traces dans ma
vie que si je ne l'avais jamais traversé.

— Mais peut-être que, pour moi aussi, on ne peut jamais
tout prévoir, n'est-ce pas, un jour je changerai de travail.

— Mais moi, je le désire, Monsieur, c'est différent. Ce 85
n'est pas un métier que le mien. On l'appelle ainsi pour simplifier mais ce n'en n'est pas un. C'est une sorte d'état,[33]
d'état tout entier, vous comprenez, comme par exemple,
d'être un enfant ou d'être malade. Alors cela doit cesser.

— Je vous comprends, Mademoiselle. Moi, voyez-vous, 90
je viens de faire une assez longue tournée et je me repose.
En général je n'aime pas beaucoup penser à l'avenir et,
aujourd'hui que[34] je me repose, moins encore; c'est pourquoi j'ai dû mal vous expliquer comment je me supportais
ainsi, à ne pas changer,[35] et même à ne pas le prévoir. Ex- 95
cusez-moi.

---

[30] je ne dis pas = *je ne dis pas non.*
[31] cela ne durera pas   *Qu'indique sa fermeté?*
[32] dès que je le serai = *dès que je serai mariée.*
[33] état   *Quelle différence fait-elle entre* état *et* métier?
[34] que   when.
[35] à ne pas changer   without changing.

— C'est moi qui m'excuse, Monsieur.

— Mais non, Mademoiselle, on peut toujours causer.

— C'est vrai, oui, et cela ne porte pas à conséquence.[36]

— Ainsi vous, Mademoiselle, vous attendez autre chose? 100

— Oui. Il n'y a aucune raison pour que je ne me marie pas un jour, moi aussi, comme les autres. C'était ce que je vous disais.

— C'est vrai. Il n'y a aucune raison pour que cela ne vous arrive pas un jour, à vous aussi. 5

— Naturellement, c'est un état si décrié que le mien qu'on pourrait dire le contraire, qu'il n'y a aucune raison pour que cela m'arrive un jour. Dans mon cas, pour que cela semble naturel il faut le vouloir de toutes ses forces. C'est ainsi que je le veux. 10

— Sans doute n'y a-t-il pas de raison dont on ne puisse venir à bout, Mademoiselle, on le dit tout au moins.

— J'ai beaucoup réfléchi. Je suis jeune, bien portante, je ne suis pas menteuse, je suis une de ces femmes comme on en voit partout et dont la plupart des hommes s'accommo- 15 dent. Et cela m'étonnerait quand même qu'il ne s'en trouve pas un, un jour, qui le reconnaîtra et qui ne s'accommodera pas de moi.[37] J'ai de l'espoir.

would put up w/ me.

— Sans doute, Mademoiselle, mais moi, où mettrais-je une femme,[38] si c'est de ce changement-là que vous voulez 20 parler? Je n'ai pour tout bien que[39] cette petite valise et je suffis à peine à nourrir ma seule personne.

— Je ne veux pas dire, Monsieur, qu'à vous, il vous faille ce changement-là. Je parle de changement en général. Pour moi, ce sera de me marier. Pour vous, il s'agirait de bien 25 autre chose peut-être.

[36] **cela ne porte pas à conséquence**   it is of no importance.

[37] **Et cela m'étonnerait . . . pas de moi**   And I would be surprised all the same if some day there was not a man who would see this and could then put up with me.

[38] **où mettrais-je une femme**   what would I do with a wife. *Est-ce ce qu'elle voulait dire? Comment le voyez-vous dans ce qui suit?*

[39] **Je n'ai pour tout bien que**   I only own.

— Mademoiselle, je ne prétends pas que vous n'avez pas raison, mais il y a des cas particuliers. Le voudrais-je de toutes mes forces que je n'arriverais pas[40] à vouloir changer comme, vous, vous avez l'air de le vouloir, de quelque façon que ce soit.

— Parce que vous auriez à changer de moins loin, peut-être, vous, Monsieur. Moi, il me semble que j'ai à changer du plus loin qu'il est possible de changer. Je me trompe, peut-être, remarquez,[41] mais tous les changements que je vois autour de moi, à côté de celui que je veux, me paraissent simples.

— Mais ne croyez-vous pas cependant que même dans la plus grande urgence de changer, chacun peut le vouloir différemment suivant son cas particulier?

— Je vous demande pardon, Monsieur, mais moi, qu'il y ait des cas particuliers, je ne veux pas le savoir.[42] Je vous le répète, j'ai de l'espoir. Et je dois dire que je fais tout ce qu'il faut pour nourrir cet espoir. Ainsi, tous les samedis, je vais au bal, très régulièrement, et je danse avec qui m'y invite. Et comme on dit que la vérité finit toujours par se reconnaître,[43] je crois qu'on finira bien un jour par me reconnaître comme une jeune fille apte à se marier, tout comme les autres.

— Il ne suffirait pas que j'aille au bal pour ma part, vous comprenez, et même si je désirais changer, et de façon moins radicale que vous, Mademoiselle. C'est vraiment un tout petit métier que le mien, il est insignifiant, et c'est à peine un métier, en somme, à peine suffisant pour un homme, que dis-je, pour une moitié d'homme. Alors je ne peux pas même un instant envisager un changement de ma vie comme celui-là.

[40] Le voudrais-je . . . que je n'arriverais pas = *Même si je le voulais . . . je n'arriverais pas.*
[41] remarquez   I grant you that.
[42] mais moi . . . savoir = *mais moi je ne veux pas savoir qu'il y a des cas particuliers. Pourquoi insiste-t-elle sur ce point?*
[43] se reconnaître = *être reconnue.*

— Alors, Monsieur, dans votre cas, peut-être, encore une fois, vous suffirait-il de changer de métier?

— Mais même, de ce métier, comment en sortir?[44] Com- 60 ment sortir de ce métier qui ne me permet même pas de penser à me marier? Ma valise m'entraîne toujours plus loin, d'un jour à l'autre, d'une nuit à l'autre, et même, oui, d'un repas à l'autre, et elle ne me laisse pas m'arrêter et prendre le temps d'y penser suffisamment. Il faudrait que le change- 65 ment arrive vers moi,[45] je n'ai pas le loisir d'aller vers lui. Et puis, oui, je l'avoue, non seulement j'ai le sentiment depuis toujours que personne n'a besoin de mes services ni de ma compagnie, mais il m'arrive même, parfois, de m'éton- ner de la place qui, dans la société, me revient.[46]   70

— Alors, Monsieur, pour vous, le changement serait peut-être de vous faire venir des sentiments[47] contraires à ceux-là?

— Bien sûr, mais vous savez bien comment on est: on est quand même comme on est, et soi,[48] comment se changer 75 à ce point? Je finis d'ailleurs par aimer mon métier, si mince qu'il soit.[49] J'aime prendre les trains. Et dormir un peu partout ne me gêne plus beaucoup.

— Monsieur, il me semble que vous n'auriez pas dû vous laisser venir des habitudes,[50] pareilles.   80

— J'y étais sans doute un peu prédisposé, voyez-vous.

— Moi je n'aimerais pas de n'avoir dans la vie, pour toute compagnie, qu'une valise de marchandises. Il me semble que parfois j'aurais peur.

— Sans doute, oui, cela peut arriver, dans les premiers 85

---

[44] **de ce métier, comment en sortir?** = *comment sortir de ce métier?*
[45] **Il faudrait que le changement arrive vers mois** *Quel autre aspect de sa personnalité apparaît ici?*
[46] **me revient**   is mine.
[47] **de vous faire venir des sentiments**   to make you have feelings.
[48] **soi**   oneself.
[49] **si mince qu'il soit**   however unimportant it is.
[50] **vous laisser venir des habitudes**   let habits overtake you.

temps[51] surtout, mais on peut s'habituer à ces petits incon-
vénients-là.

in my own situation

— Je crois que je préfère en être où j'en suis[52] encore,
Monsieur, et faire ce... métier que je fais là, malgré tous ses
désavantages. Mais peut-être est-ce parce que je n'ai que [90]
vingt ans.

— Mais le mien n'a pas que des inconvénients, Mademoiselle. Ainsi, à force d'avoir tellement de temps à passer
sur les routes, dans les trains, dans les squares, d'avoir tellement de temps pour réfléchir un peu à tout, [on finit par se [95]
faire une raison de mener telle ou telle existence.] *one comes to justify*
according to circumstance

— Il me semblait avoir compris que vous n'aviez que le
temps de penser à vous seul, Monsieur, à votre entretien, et
non à autre chose.

— Non, Mademoiselle, celui que je n'ai pas, c'est celui[100]
pour penser à l'avenir; mais celui pour penser à autre chose,
si,[53] je l'ai, je le prends, si vous voulez.[54] *I find it* Car si l'on[55] peut
supporter d'avoir à penser plus que d'autres à son entretien,
comme vous dites, c'est à condition de ne plus y penser du
tout lorsque celui-ci est assuré, lorsqu'on a mangé. Si une [5]
fois nourri l'on commençait à penser à son prochain repas,
ce serait à devenir fou.[56]

— Oui, Monsieur, sans doute, mais voyez-vous, d'aller de
ville en ville, comme ça, sans autre compagnie que cette
valise, moi, c'est ça qui me rendrait folle. [10]

— On n'est pas toujours seul, je vous ferai remarquer,[57]
seul à[58] devenir fou, non. On est sur des bateaux, dans des

alone to the point of

[51] **dans les premiers temps** in the beginning.
[52] **je préfère en être où j'en suis** I prefer my own situation.
[53] **si** yes.
[54] **je le prends, si vous voulez** I find it, if you see what I mean. *Que*
révèle son attitude?
[55] **l'on = on.**
[56] **ce serait à devenir fou** it would be enough to drive one mad.
[57] **je vous ferai remarquer** don't forget it.
[58] **seul à** alone to the point of.

trains, on voit, on écoute. Et, ma foi,[59] si l'occasion de devenir fou se présente, on peut se faire à l'éviter.

— Mais, arriver à se faire une raison de tout, à quoi cela [15] me servirait-il, puisque ce que je veux c'est en sortir et que vous, Monsieur, cela ne vous sert qu'à toujours trouver de nouvelles raisons de ne pas en sortir?

— Pas exactement, non, puisque, si une occasion valable de changer de métier se présentait à moi, je la saisirais aussi- [20] tôt; non, elle me sert aussi à autre chose, par exemple à me rendre compte des avantages que comporte quand même ce métier, qui sont, d'une part, de voyager tout le temps, d'autre part, d'avoir le sentiment de devenir un peu plus raisonnable qu'on ne l'était avant. Remarquez que je ne [25] vous dis pas que j'ai raison, non, loin de là, il se peut même que je me trompe tout à fait et que je sois devenu, sans m'en apercevoir, moins raisonnable qu'autrefois, au contraire. Mais peu importe, n'est-ce pas, puisque c'est à mon insu. [30]

— Ainsi, Monsieur, vous voyagez aussi constamment que, moi, je suis constamment sur place?

— Oui. Et même si je reviens parfois dans les mêmes endroits, les choses sont différentes. C'est le printemps, par exemple, et il y a des cerises sur les marchés. C'est ce que [35] je voulais dire, et non pas que j'avais raison de m'être habitué à ce travail.

— C'est vrai, oui, bientôt il y aura des cerises sur les marchés, dans deux mois. J'en suis contente pour vous, Monsieur. Et qu'y a-t-il d'autre encore, dites voir?[60] [40]

— Mille choses. Parfois c'est le printemps, parfois l'hiver aussi, le soleil ou la neige. On ne reconnaît plus rien. Mais les cerises, c'est cela qui change le plus. Elles arrivent tout d'un coup, et le marché, le voilà rouge tout d'un coup. Oui, dans deux mois. C'est ce que je voulais dire, voyez-vous, et [45] non pas du tout que ce travail me convenait tout à fait.

[59] **ma foi**   indeed.
[60] **dites voir**   tell me.

— Mais, en dehors des cerises sur le marché, de l'hiver, de la neige, dites voir encore.

— Parfois rien d'important, de visible même. Mais mille riens qui font que tout est changé.[61] A croire[62] qu'il ne s'agit que de votre humeur. On reconnaît et l'on ne reconnaît pas les lieux, les gens, et un marché que l'on ne trouvait pas accueillant, voilà[63] qu'il le devient tout à coup.

— Mais n'arrive-t-il pas parfois que tout soit pareil?

— Oui, parfois, tout est tellement pareil qu'on croirait avoir quitté les lieux la veille. Je n'ai jamais su à quoi cela tenait[64] car rien ne peut rester pareil à ce point, ce n'est pas possible.

— Mais, en dehors des cerises sur le marché, de l'hiver, de la neige?

— Parfois il y a un nouvel immeuble qui vient d'être terminé alors qu'il était en construction[65] la dernière fois. Et il est complètement habité, plein de bruits et de cris. La ville pourtant ne paraissait pas tellement surpeuplée et voilà que cet immeuble, une fois fini, paraissait tout à fait nécessaire.[66]

— Monsieur, mais toutes ces nouveautés-là, elles sont les mêmes pour tout le monde, elles ne vous arrivent pas à vous tout seul?[67]

— Il m'en arrive quelquefois, mais elles sont très négligeables, oui, en général, ce sont des nouveautés de temps, de choses, qui ne sont pas qu'à moi. Cependant, à force, celles-ci peuvent vous changer autant les idées[68] que si elles vous étaient arrivées à vous, que si vous, vous faisiez les cerises.

[61] **mille riens . . . changé** a thousand trifles which make everything look different.

[62] **A croire = On pourrait croire.**

[63] **voilà que** then.

[64] **à quoi cela tenait** what caused it.

[65] **il était en construction** it was being built.

[66] **voilà que cet immeuble . . . nécessaire** and now that the building is completed, it seems to have been absolutely necessary.

[67] **à vous tout seul** *Que cherche-t-elle à lui faire dire?*

[68] **vous changer autant les idées** lighten your mood.

— Je vous écoute, Monsieur, et j'essaie de me mettre à 75
votre place, mais non, il me semble que j'aurais peur.

— Cela peut arriver, Mademoiselle, et je dois dire que
cela m'arrive quelquefois, la nuit, par exemple, lorsque je
me réveille. Mais il n'y a guère que la nuit que cette peur me
prenne[69] et aussi, oui, quelquefois aussi au coucher du 80
soleil,[70] mais alors seulement par temps de pluie[71] ou de
brouillard.

— Comme c'est curieux que, sans l'avoir jamais éprouvée,
on sache un peu le genre de peur que cela doit être.

— Oui, vous voyez, pas celle que l'on éprouve lorsqu'on 85
se dit que, quand on mourra, personne ne s'en apercevra,
non, une peur plus générale, qui ne vous concerne pas vous
seul.

— Comme si l'on prenait peur tout à coup d'être comme
on est,[72] d'être comme on est au lieu d'être autrement, au 90
lieu même d'être autre chose, peut-être?

— Oui, d'être à la fois comme tous les autres, tous les
autres et d'être en même temps comme on est. Oui, c'est cela
même, je crois, d'être de cette espèce-là plutôt que de n'importe quelle autre, de celle-là précisément...   95

— Si compliquée, oui, Monsieur, je comprends.

— Parce que de l'autre peur,[73] Mademoiselle, celle de
mourir sans que personne s'en aperçoive, je trouve qu'elle
peut devenir à la longue une raison de se réjouir de son sort.
Lorsqu'on sait que sa mort ne fera souffrir personne, pas[100]
même un petit chien, je trouve qu'elle s'allège de beaucoup
de son poids.   *becomes easier*

— J'essaie de vous comprendre, Monsieur, mais non, je
le regrette, je ne le puis[74] pas. Est-ce parce que les femmes

---

[69] **il n'y a guère . . . prenne**   it's only at night that I feel frightened.
[70] **au coucher du soleil**   at sunset.
[71] **par temps de pluie** = *quand il pleut.*
[72] **d'être comme on est**   *Que veut-elle dire?*
[73] **de l'autre peur** = *l'autre peur.*
[74] **puis** = *peux.*

sont différentes? Moi, je sais que je ne pourrais pas me sup- 5
porter, comme vous le faites, seule, avec cette valise. Ce n'est
pas que je n'aimerais pas voyager, non, mais sans des affections[75] quelque part dans le monde, qui m'attendraient, je
ne pourrais pas le faire. Encore une fois, je crois bien que je
préfère en être encore où j'en suis. 10

— Mais, Mademoiselle, si je peux me permettre à mon
tour, en attendant ce changement que vous désirez?

— Non, Monsieur. Vous avez l'air d'ignorer[76] ce que c'est
que de vouloir sortir de cet état. Il faut que je reste là à y
penser tout le temps, de toutes mes forces, sans cela je sais 15
que je n'y arriverais pas.

— Peut-être, en effet, que je ne sais pas.

— Vous ne pouvez pas le savoir,[Monsieur, car si peu
que vous soyez,[77] vous êtes quand même à votre façon, donc ✓
vous ne pouvez pas savoir ce que c'est que de n'être rien.] 20

— Vous non plus, Mademoiselle, si je comprends bien,
personne ne vous pleurerait?

— Personne. Et j'ai déjà vingt ans d'il y a quinze jours.[78]
Mais on me pleurera un jour. J'ai de l'espoir. Ce n'est pas
possible autrement. 25

— C'est vrai qu'autant que ce soit vous plutôt qu'une
autre,[79] au fond, que l'on pleurera.

— N'est-ce pas? C'est ce que je me dis.

— Oui, Mademoiselle. Et si je peux me permettre encore,
et vous, Mademoiselle, vous mangez à votre faim? 30

— Oui, je vous remercie, Monsieur, je mange et plus
qu'à ma faim. Seule, toujours seule, mais on mange dans
mon métier, on mange même beaucoup puisqu'on est là où

---

[75] **des affections**   *Qui désigne-t-elle par ce terme?*
[76] **d'ignorer**   to be unaware of.
[77] **si peu que vous soyez**   however unimportant you are. *Quelle est la double valeur du verbe **être** dans ce paragraphe?*
[78] **d'il y a quinze jours** = *depuis quinze jours.*
[79] **autant que ce soit vous, plutôt qu'une autre**   rather you than another.

se fait[80] la nourriture. Et de très bonnes choses, parfois du gigot. Et non seulement j'ai à manger[81] mais je mange, oui. 35 Parfois même, je me force. Je voudrais quelquefois grossir encore, me fortifier encore pour que l'on me voie encore davantage. Il me semble que, grosse et forte, j'aurais encore un peu plus de chances d'arriver à ce que je veux. C'est une illusion peut-être, me direz-vous, mais je crois que si j'ai une 40 éclatante santé on voudra de moi davantage. Ainsi, vous voyez, nous sommes très différents.

— Sans doute, Mademoiselle, mais n'empêche que, moi aussi, j'ai de la bonne volonté. J'ai dû mal m'exprimer tout à l'heure. Je vous assure que, s'il m'arrivait de désirer 45 changer, je me laisserais faire, comme tout le monde.

— Ah! Monsieur, comme il est difficile de vous croire, excusez-moi.

— Sans doute, mais vous voyez, tout en ne trouvant aucune raison de ne pas espérer en général, c'est un fait que, 50 pour mon compte, je n'en vois pas beaucoup. Pourtant, il suffirait de peu de choses,[82] il me semble, pour que je commence à croire que cela m'est aussi nécessaire qu'aux autres. Une toute petite croyance me suffirait. Est-ce le temps qui me manque pour l'avoir? Qui sait? Je ne parle pas de celui 55 que je passe dans les trains, à réfléchir[83] à ceci ou à cela ou à bavarder avec les gens, non, mais de l'autre, de celui qu'on a devant soi, le jour même pour le lendemain. Pour commencer à y penser et essayer de découvrir que cela m'est nécessaire à moi aussi. 60

— Pourtant, Monsieur, je m'excuse encore, mais j'imagine bien, et vous le disiez vous-même, qu'il fut un temps[84] où vous étiez comme tout le monde, non?

— Précisément, mais à un tel point que je ne m'en suis

[80] se fait = *est faite.*
[81] j'ai à manger   I have enough to eat.
[82] il suffirait de peu de choses = *peu de choses suffiraient.*
[83] à réfléchir   thinking over (this or that).
[84] qu'il fut un temps   that there was a time.

jamais remis. On ne peut pas tout être à la fois, ni vouloir 65
tout à la fois, comme vous dites, mais moi, de ces impossibilités-là, je ne m'en suis jamais remis,[85] et je n'ai jamais pu
me résoudre à choisir un métier. Mais enfin, vous savez, j'ai
pas mal[86] voyagé quand même et ma petite valise m'a en-
traîné un peu partout, oui, et même une fois dans un grand 70
pays étranger. Je n'y ai pas vendu grand-chose mais, quand
même, je l'ai vu. Et on m'aurait dit, quelques années auparavant, que j'aurais un jour envie de le connaître que je ne
l'aurais pas cru.[87] Pourtant, voyez, un jour, en me réveillant,
l'envie m'en a pris et j'y suis allé. Si peu qu'il m'arrive de 75
choses,[88] il m'est quand même arrivé celle-là, voyez-vous, de
voir ce pays-là.

— Mais, dans ce pays, il y a des gens malheureux, non?

— C'est vrai, oui.

— Et il y a des jeunes filles comme moi qui attendent? 80

— Sans doute, Mademoiselle, oui.

— Alors?

— C'est vrai qu'on y meurt, qu'on y est malheureux,
qu'il y en a comme vous qui attendent, pleines d'espoir. Mais
pourquoi ne pas le voir, lui, plutôt que celui-ci où nous 85
sommes, où les choses sont pareilles? Pourquoi ne pas voir
aussi ce pays? le voir en plus de celui-ci, pourquoi?

— Parce que, Monsieur, j'ai peut-être tort, vous allez
dire, mais cela m'est égal.

— Attendez, Mademoiselle. Ainsi, les hivers y sont moins 90
rudes qu'ici, c'est bien simple, on le sait à peine[89] que c'est
l'hiver...

— On n'est jamais dans tout un pays à la fois, Monsieur,
ce n'est pas vrai, ni même dans toute une ville à la fois, ni

[85] de ces impossibilités-là . . . remis = *je ne me suis jamais remis de ces impossibilités-là.*

[86] pas mal   quite a lot.

[87] on m'aurait dit . . . cru = *si on m'avait dit . . . je ne l'aurais pas cru.*

[88] Si peu qu'il m'arrive de choses   However few things happen to me.

[89] on le sait à peine = *on sait à peine.*

même dans tout un bel hiver, non, on a beau faire, on est 95
seulement là où l'on est quand on y est, alors?

— Mais précisément, Mademoiselle, là où j'étais, la ville
se termine par une place immense entourée d'escaliers qui
ont l'air de n'aboutir nulle part.

— Non, Monsieur, je ne veux pas le savoir. 100

— Mais toute la ville est peinte à la chaux,[90] figurez-vous
de la neige au cœur de l'été. Elle se trouve au centre d'une
presqu'île baignée[91] par la mer.

— Elle est bleue, je le sais. Bleue, n'est-ce pas?

— Oui, Mademoiselle, elle est bleue. 5

— Eh bien, Monsieur, excusez-moi, mais les gens qui vous
parlent du bleu de la mer me donnent envie de vomir.[92]

— Mais, Mademoiselle, qu'y faire?[93] Du jardin zoologique on la découvre tout entière autour de la ville. Et elle
est bleue pour tous les yeux, je n'y peux rien.[94] 10

— Non, sans ces affections, dont je parlais, elle me pa-
raîtrait noire. Et puis, je ne voudrais pas vous déplaire,
Monsieur, mais non, j'ai trop envie de changer de vie, d'en
sortir, pour avoir le goût des voyages, de voir des choses
nouvelles. Vous aurez beau en voir, de ces villes-là, cela ne 15
vous avancera en rien,[95] jamais, et lorsque vous vous arrêterez, vous en serez au même point.

— Mais, Mademoiselle, nous ne parlons pas des mêmes
choses. Je ne vous parle pas de ces changements qui modifient
toute l'existence, mais seulement de ceux qui font plaisir le 20
temps de les vivre. Voyager distrait beaucoup. Les Grecs,

---

[90] **peinte à la chaux**   whitewashed.

[91] **baignée = *entourée*.**

[92] **me donnent envie de vomir**   make me sick. *Pourquoi réagit-elle ainsi?*

[93] **qu'y faire?**   what can one do about it?

[94] **je n'y peux rien**   I can't help it.

[95] **Vous aurez beau . . . en rien**   No matter how many of those towns you see, it won't help you in any way.

les Phéniciens, tout le monde voyage, de mémoire d'homme[96]
il en est ainsi.

— Non, c'est vrai que nous ne parlons pas des mêmes
choses, ce n'est pas ce changement que je désire, de voyager, 25
de voir des villes au bord de la mer. Celui, pour commencer,
que je désire, c'est de m'appartenir, de commencer à posséder
quelque chose, des objets de peu d'importance mais qui se-   √
raient à moi, un endroit à moi, une seule pièce mais à moi.
Parfois, tenez, je me prends à rêver d'un fourneau à gaz. *saustor.* 30

— Ce sera comme de voyager, Mademoiselle. Vous ne
vous arrêterez plus. Vous désirerez ensuite posséder un frigidaire et, ensuite, encore autre chose. Ce sera comme de voyager, d'aller de ville en ville, vous ne vous arrêterez plus.

— Vous croyez, Monsieur, qu'il y a un inconvénient à 35
ce que je ne m'arrête pas au frigidaire?

— Pas du tout, Mademoiselle, non, [je ne le crois pas, je
parle pour moi, n'est-ce pas,[97] et moi,] il me semble que cette
idée me fatiguerait plus que de voyager et de voyager, d'aller
de ville en ville comme je le fais.   40

— Monsieur, je suis née et j'ai grandi comme tout le
monde, je regarde autour de moi, je regarde beaucoup, et je
trouve qu'il n'y a pas de raison vraiment pour que j'en reste
là où j'en suis. Je dois commencer à prendre un peu d'importance et par tous les moyens. Et si je commence en me 45
disant qu'un frigidaire me découragerait, alors je n'aurai
même pas le fourneau à gaz. Comment le saurais-je d'ailleurs?
Si vous le dites, Monsieur, c'est que peut-être vous y avez
pensé ou bien qu'un frigidaire vous a déjà fatigué?

— Non, non seulement je n'en ai jamais eu mais je n'ai 50
jamais eu la moindre possibilité d'en avoir un. Non, c'est
une impression seulement. Si je dis ça à propos d'un frigi-

---

[96] **de mémoire d'homme**   as far back as one can go.
[97] **je parle pour moi, n'est-ce pas** *Pourquoi est-ce une remarque importante?*

daire, c'est que cela paraît lourd et intransportable à un voyageur. Sans doute ne l'aurais-je pas dit d'un autre objet. Néanmoins je comprends fort bien, Mademoiselle, que vous, [55] vous ne puissiez voyager qu'après avoir eu, par exemple, ce fourneau à gaz et même ce frigidaire. Et je dirais même que c'est moi qui ai tort de me décourager aussi facilement, rien qu'à l'idée[98] d'un frigidaire.

— Oui, cela paraît curieux, en effet. [60]

— Une fois, dans ma vie, un certain jour, je n'ai plus désiré vivre du tout. J'avais faim et, comme je n'avais plus rien ce jour-là, il fallait absolument, pour manger à midi, que je travaille. Comme si ce n'était pas là le sort de tout le monde et le mien tout particulièrement! Tout comme si je n'y étais [65] pas habitué, ce jour-là, je n'ai plus voulu vivre parce que je trouvais, eh bien, qu'il n'y avait pas de raison pour que cela continue encore pour moi comme cela continuait pour tout le monde. J'ai mis un jour entier à m'y réhabituer, puis, bien sûr, je suis allé au marché avec ma valise, et j'ai re- [70] mangé. Ça a recommencé comme par le passé,[99] avec cette différence, pourtant, que, depuis ce jour-là, les perspectives d'avenir quelconques, fût-ce même[100] de posséder un frigidaire, me fatiguent beaucoup plus qu'avant.

— Je m'en serais doutée, voyez-vous. [75]

— Depuis, quand je pense à moi, c'est en terme d'homme de plus ou d'homme de moins,[101] ce qui vous explique qu'un frigidaire de plus ou de moins dans la vie m'importe moins qu'à vous.

— Ce pays, Monsieur, qui vous a fait tellement plaisir à [80] voir, y êtes-vous allé avant ou après ce jour-là?

— Après. Mais, quand j'y pense, cela me fait plaisir et je trouve qu'il aurait été dommage qu'un homme de plus ne le

[98] **rien qu'à l'idée**   at the mere thought.
[99] **comme par le passé**   as in the past.
[100] **fût-ce même**   even.
[101] **c'est en terme . . . de moins**   *En quoi ce désintérêt de soi-même est-il caractéristique de l'homme?*

connaisse pas. Je ne crois pas, vous comprenez, être mieux
fait qu'un autre pour l'apprécier, non, mais je trouve que, [85]
tant qu'à faire, puisqu'on est là,[102] il vaut mieux voir un pays
de plus que d'en voir un de moins. *because one has to be here.*

— Bien que je ne puisse pas me mettre à votre place,
Monsieur, je comprends ce que vous voulez dire et je trouve
que c'est bien dit. C'est bien ça, n'est-ce pas, que vous voulez [90]
dire, que tant qu'à faire, puisqu'on est là, il vaut mieux voir
le plus de choses possible que de ne pas les voir? Et qu'ainsi
le temps passe plus vite et de façon plus plaisante?

— Si vous voulez, Mademoiselle, c'est un peu ça. Peut-
être ne sommes-nous en désaccord que sur ce que nous avons [95]
décidé de faire ou de ne pas faire de notre temps.

— Pas seulement, Monsieur, puisque je n'ai encore pas
eu l'occasion de me fatiguer de quoi que ce soit, excepté
d'attendre, bien sûr. Comprenez-moi, Monsieur, je ne veux
pas dire que vous êtes forcément plus heureux que moi, non,[100]
mais seulement que, si vous ne l'êtes pas, vous pouvez vous
permettre d'envisager des remèdes à votre malheur, changer
de ville, vendre autre chose, et même, je m'excuse, Monsieur,
encore davantage. Moi, je ne peux encore commencer à
penser à rien, même pas dans le détail. Rien n'est commencé [5]
pour moi, à part que je suis en vie. Et si parfois, quand il fait
très beau, en été, par exemple, j'ai le sentiment que peut-
être c'est fait, que peut-être la chose se commence[103] tout en
n'en ayant pas l'air,[104] j'ai peur, oui, j'ai peur de me laisser
aller au beau temps, et d'oublier, même un instant, ce que je [10]
veux, de me perdre déjà dans le détail, d'oublier l'essentiel.
Si j'envisage déjà le détail, dans mon existence, je suis
perdue.[105]

✓ like a
✓ trap, if
one concedes
to an existence
not what one
wants —
a sell out of
self.

[102] **tant qu'à faire, puisqu'on est là** since we do have to be there
(*on earth*).
[103] **se commence** = *commence.*
[104] **tout en n'en ayant pas l'air** although it does not look that way.
[105] **je suis perdue** *Pourquoi sera-t-elle perdue si elle commence à
mieux supporter son état?*

— Mais, Mademoiselle, encore une fois, il m'avait semblé
que vous aimiez ce petit garçon.   15

— Cela est égal, je ne veux pas le savoir, je ne veux pas
commencer à ne pas me déplaire dans cet état, et même à le
supporter un peu mieux parce qu'alors, encore une fois, je
suis perdue. J'ai beaucoup de travail et je le fais. Et si bien[106]
qu'on m'en donne chaque jour un peu plus qu'on ne devrait,   20
et je le fais. Et si naturellement[107] qu'on finit par m'en donner de pénibles même, mais je ne dis rien et je les fais. Parce
que si je ne les faisais pas, si je les refusais, cela voudrait dire
que j'envisage dans les choses possibles que ma situation
pourrait en être améliorée, adoucie, pourrait devenir plus   25
supportable, et même, à la rigueur, supportable tout court.

— C'est quand même singulier, Mademoiselle, d'être en
mesure de s'adoucir la vie et de le refuser.

— Oui, Monsieur, mais je ne refuse rien,[108] je n'ai jamais
rien refusé de faire de ce qu'on me demandait. Je n'ai jamais   30
refusé, alors que cela aurait été si facile au début, et je ne
refuse toujours pas alors que ce serait de plus en plus facile
puisque j'ai de plus en plus de travail. Du plus loin que je
me souvienne, j'ai toujours tout accepté, docilement, tout et
tout afin, un jour, de ne plus pouvoir supporter rien.[109] Vous   35
me direz que c'est un peu simple peut-être, mais je n'ai rien
trouvé d'autre pour en sortir. On se fait à tout, j'en suis sûre,
et j'en vois, des gens, qui, après dix ans, en sont toujours où
j'en suis. On peut se faire à toutes les existences, même à
celle-là, et il faut que je fasse très attention, moi aussi, pour   40
ne pas me faire à celle-là. Quelquefois, voyez-vous, je m'an-
goisse, oui, car tout en étant prévenue contre ce danger qu'il
y a à se faire à toutes les existences, ce danger est si grand

---

[106] **Et si bien** = *Et je le fais si bien.*
[107] **Et si naturellement** = *Et je le fais si naturellement.*
[108] **je ne refuse rien** *Parlent-ils de la même chose? Comment cela?*
[109] **de ne plus pouvoir supporter rien** *Que veut-elle dire?*

que, même prévenue, je pourrais quand même ne pas l'éviter.
Mais, Monsieur, dites-moi encore ce qu'il y a de nouveau 45
parfois, à part la neige, les cerises, les immeubles en construction?

— Parfois l'hôtel a changé de propriétaire[110] et le nouveau est <u>avenant</u> et il parle volontiers avec les clients, alors
que l'ancien était fatigué d'avoir des amabilités et qu'il ne 50
vous adressait pas la parole.

— Monsieur, n'est-ce pas qu'il me faut m'étonner
chaque jour d'en être encore là? Ou sans ça, je n'y arriverai
pas?[111]

— Je crois que tout le monde s'étonne chaque jour d'en 55
être encore là. Je crois qu'on s'étonne de ce qu'on peut,
qu'on ne peut pas décider de s'étonner d'une chose plutôt
que d'une autre.

— Chaque matin je m'étonne un peu plus d'en être
encore là, je ne le fais pas <u>exprès.</u> Je me réveille et aussitôt 60
je m'étonne. Alors je me rappelle des choses. J'étais une
petite fille comme toutes les autres, rien apparemment ne
me distinguait d'elles. A l'époque des cerises, ah, tenez, nous
en volions ensemble dans les <u>vergers.</u> Jusqu'au dernier jour
nous en avons volé ensemble. Car c'était à cette saison-là que 65
l'on <u>m'a placée.</u>[112] <u>Dites voir</u> encore, Monsieur, à part tout
ce que vous m'avez dit déjà, y compris le propriétaire de
l'hôtel?

— J'en ai volé aussi, tout comme vous, et rien en apparence non plus ne me distinguait des autres, sauf peut- 70
être que <u>je les aimais déjà beaucoup.</u> A part le propriétaire
de l'hôtel, parfois il y a une radio nouvelle. Cela est très
important. Un café sans musique qui devient un café avec
de la musique. Alors, naturellement, il y a beaucoup plus

---

[110] **a changé de propriétaire** has a new owner.
[111] **je n'y arriverai pas** *Qu'est-ce qu'elle n'arrivera pas à faire?*
[112] **que l'on m'a placée** that I was sent to serve as a maid.

de monde et il[113] reste plus tard. Ça fait de bonnes soirées de gagnées.[114] 75

— Vous avez dit de gagnées?

— Oui.

— Ah, il me semble parfois que si nous avions su... Ma mère est venue, elle m'a dit: «Allez, maintenant, c'est fini, 80 viens, c'est fini.» Je me suis laissé faire, vous savez, comme les bêtes vont à l'abattoir, pareil. Ah! si j'avais su, Monsieur, je me serais débattue, je me serais sauvée, j'aurais supplié ma mère, je l'aurais suppliée si bien, si bien!

— Mais nous ne savions pas. 85

— La saison des cerises a continué jusqu'à la fin comme les autres années. Les autres passaient sous mes fenêtres en chantant. J'étais derrière à les guetter et l'on me grondait pour cela.

— Moi, très tard je les ai cueillies. 90

— Derrière mes fenêtres, comme un grand criminel. Tenez, Monsieur, comme si mon crime était d'avoir seize ans. Mais, très tard, disiez-vous?

— Oui. Le plus tard qu'il est possible dans une vie d'homme. Et voyez. 95

— Parlez-moi encore des cafés pleins de monde où l'on fait de la musique,[115] Monsieur.

— Sans eux je ne pourrais pas vivre, Mademoiselle. Je les aime beaucoup.

— Je crois que, moi aussi, je les aimerai beaucoup.[116] Je 100 serai là, au comptoir, au bras de mon mari et nous écouterons la radio. On nous parlera de choses et d'autres[117] et nous répondrons, nous y serons à la fois ensemble et avec les autres. Parfois l'envie me prend d'y faire un tour[118] mais,

---

[113] il = *le monde.*
[114] **de gagnées**   to the good.
[115] **où l'on fait de la musique** = *où l'on joue de la musique.*
[116] **je les aimerai beaucoup**   *Quand cela se passera-t-il?*
[117] **de choses et d'autres**   of one thing and another.
[118] **d'y faire un tour**   to spend a while there.

seule, voyez-vous, une jeune fille de mon état ne peut pas [5]
se le permettre.

— J'oubliais: parfois quelqu'un vous regarde.

— Je vois. Et s'approche?

— Et s'approche, oui.

— Sans raison? [10]

— Sans raison. Alors la conversation prend un tour[119]
moins général.

— Et alors, Monsieur, et alors?

— Je ne reste jamais plus de deux jours dans chaque
ville, Mademoiselle, trois au maximum. Les objets que je [15]
vends ne sont pas d'une telle nécessité.

— Hélas! Monsieur.»

La brise qui s'était assoupie s'éleva de nouveau, balaya
de nouveau les nuages et, à la tiédeur soudaine de l'air, on
devina encore une fois les promesses d'un proche été. [20]

«Mais vraiment, comme il fait beau, aujourd'hui, répéta
l'homme.

— Nous approchons de l'été.

— Peut-être, Mademoiselle, ne commence-t-on jamais,
excusez-moi, et que c'est toujours pour demain. [25]

— Ah! Monsieur, si vous dites cela, c'est qu'aujourd'hui,
pour vous, est quand même assez plein pour vous distraire
de demain. [Pour moi, aujourd'hui ce n'est rien, un désert.] ✓

— En somme, Mademoiselle, il ne vous arrive jamais de
faire quelque chose dont vous pourrez vous dire que ce sera [30]
toujours une chose de faite?[120] *one thing done at least*

— Non, je ne fais rien, je travaille toute la journée mais
je ne fais rien à propos de quoi je puisse me dire ce que vous
dites. Je ne peux même pas me poser cette question.

— Je ne voudrais pas vous contredire, Mademoiselle, [35]
encore une fois, mais, quoi que vous fassiez, ce temps que
vous vivez maintenant comptera pour vous, plus tard. Et de

[119] **prend un tour** = *devient.*
[120] **toujours une chose de faite**   one thing at least accomplished.

ce désert dont vous parlez vous vous en souviendrez et il se repeuplera de lui-même[121] avec une précision éblouissante. Vous n'y échapperez pas. On croit que ce n'est pas com- 40 mencé et c'est commencé. On croit qu'on ne fait rien et on fait quelque chose. On croit qu'on s'achemine vers une solution, on se retourne, et voilà qu'elle est derrière soi. Ainsi, cette ville, je ne l'ai pas bien appréciée sur le moment à sa juste mesure.[122] L'hôtel n'était pas excellent, la chambre 45 que j'avais retenue, on en avait disposé,[123] il était tard, et j'avais faim. Rien ne m'attendait dans cette ville, que[124] la ville elle-même, énorme, et imaginez un peu[125] ce que peut être une énorme ville tout entière tournée vers ses occupa- tions[126] pour un voyageur fatigué qui la voit pour la pre- 50 mière fois.

— Non, Monsieur, je ne l'imagine pas.

— Rien ne vous y attend qu'une mauvaise chambre qui donne sur une cour sale et bruyante. Et pourtant, à y re- penser,[127] je sais que ce voyage m'a changé, que beaucoup 55 de ce que j'avais vu avant de le faire m'y menait et s'est éclairé. Ce n'est qu'après coup que l'on sait être allé dans telle ou telle ville, Mademoiselle, vous savez bien.

— Si c'est dans ce sens-là que vous l'entendez,[128] alors peut-être avez-vous raison. Peut-être la chose est-elle com- 60 mencée déjà et, ça, depuis qu'un certain jour j'ai voulu qu'elle commence.

— Oui, Mademoiselle, on croit que rien n'arrive et pour- tant, voyez, il me semble que ce qui sera arrivé de plus im-

[121] **il se repeuplera de lui-même**   it will seem to you to have been filled with people.
[122] **je ne l'ai pas bien appréciée . . . à sa juste mesure**   I did not ap- preciate it . . . at its fair value. *De quelle ville s'agit-il?*
[123] **on en avait disposé**   they had rented it to somebody else.
[124] **Rien . . . que**   Nothing . . . but.
[125] **imaginez un peu**   just imagine.
[126] **tournée vers ses occupations**   busy with its own affairs.
[127] **à y repenser**   when I think back.
[128] **vous l'entendez** = *vous le comprenez.*

portant dans votre vie, c'est cette volonté que vous mettez,[129] 65
précisément, à ne rien vivre encore.

— Je comprends, Monsieur, oui, mais comprenez-moi
jusqu'au bout, vous-même, même si de ce moment-là[130] c'est
fait, je ne peux pas encore, je n'ai pas encore eu le temps de
le savoir. J'espère que je le saurai un jour comme vous, de 70
ce voyage, et que lorsque je me retournerai tout s'éclairera-
t-il,[131] derrière moi, mais vraiment, maintenant, j'y suis trop
plongée encore pour pouvoir seulement le prévoir.

— Oui, Mademoiselle, oui, et sans doute ne peut-on
rien vous apprendre de ce que vous ne pouvez voir encore, 75
mais la tentation est grande d'essayer quand même de le
faire.

— Monsieur, vous êtes bien gentil, mais je n'en suis pas
encore à très bien comprendre ce qu'on me dit.

— Mademoiselle, faut-il quand même, et je vous com- 80
prends, soyez-en sûre, faut-il quand même faire tout ce
travail-là tout le temps qu'il faudra? Evidemment je ne vous
donne aucun conseil... Mais est-ce qu'une autre que vous,
par exemple, ne pourrait pas à la rigueur faire un petit
effort et espérer ensuite autant de l'avenir une fois que 85
certaines corvées lui seraient épargnées? Est-ce qu'une autre
ne le ferait pas? Pensez-y.

— Avez-vous peur, Monsieur, qu'un jour, si cela tardait
trop pour moi, à force de ne jamais rien refuser de faire,
d'en accepter chaque jour davantage sans jamais me plaindre, 90
j'en vienne à perdre patience tout à fait?

— Il est vrai, Mademoiselle, que cette sorte de volonté
que vous avez, que rien ne peut adoucir, je la trouve un peu
inquiétante, mais ce n'est pas pour ça que je vous le disais,
mais parce qu'il est difficile de supporter que quelqu'un de 95
votre âge ait choisi de vivre dans une telle rigueur.

---

[129] **vous mettez** = *vous avez.*
[130] **de ce moment-là** = *déjà.*
[131] **tout s'éclairera-t-il** = *tout s'éclairera.*

— Monsieur, je n'ai pas d'autre solution,[132] je vous assure que j'y ai beaucoup pensé.

— Combien de personnes, Mademoiselle, si je peux me permettre?   100

— Sept.

— Et d'étages?

— Six.[133]

— Et de pièces?

— Huit.   5

— Hélas!

— Mais non, pourquoi, Monsieur? Ça ne se compte pas comme ça.[134] Je dois bien mal m'expliquer, vous n'avez pas compris.

— Mademoiselle, je crois que le travail peut toujours se 10
mesurer, toujours, dans tous les cas, que le travail est toujours le travail.

— Celui-là, non, je vous assure. De celui-là on peut dire qu'il vaut mieux en faire trop que pas assez. S'il vous laisse du temps pour vous amuser ou réfléchir en dehors de lui, on 15
est perdu.

— Et vous avez vingt ans.

— Oui, et, comme on dit, je n'ai pas eu encore le temps de faire mal au monde. Mais ce n'est pas là la question, il me semble.   20

— J'aurais tendance à croire qu'elle est là, au contraire. Et ces gens devraient s'en souvenir.

— Ce n'est quand même pas de leur faute[135] si nous acceptons tout le travail qu'ils nous donnent à faire. Moi, j'en ferais autant à leur place.   25

— Mademoiselle, je voudrais vous raconter comment je

---

[132]**je n'ai pas d'autre solution** I have no other choice.

[133] **Six** *Not including the ground floor.*

[134] **Ça ne se compte pas comme ça** *Qu'est-ce qui ne se compte pas comme ça?*

[135] **Ce n'est quand même pas de leur faute** It's not their fault. *De qui est-ce la faute?*

suis rentré dans cette ville après avoir déposé ma valise dans
la chambre.

— Oui, Monsieur, mais il ne faut pas vous inquiéter
pour moi. Cela m'étonnerait que je me laisse aller[136] à perdre   30
patience un jour. Je ne pense qu'à ça, au risque qu'il y aurait
à perdre patience, alors, ça m'étonnerait quand même, comprenez-vous, Monsieur?

— Mademoiselle, ce n'est que le soir, après avoir déposé
ma petite valise...   35

— Car on pense beaucoup, nous aussi, Monsieur, vous
savez. Terrées dans notre travail il ne nous reste que ça à
faire, penser, on pense, c'est fou. Mais pas sans doute comme
vous à ne rien faire.[137] Nous pensons en mal. Et tout le temps.

— C'était le soir, juste avant de dîner, après le travail.   40

— Nous, nous pensons toujours aux mêmes choses, aux
mêmes personnes, et dans le mal. C'est pourquoi nous faisons
si attention et que ce n'est pas la peine de s'inquiéter. Mais,
vous voyez, vous parliez de métier, en est-ce un que celui-ci,
qui vous fait imaginer toute la journée dans le mal? C'était   45
le soir, disiez-vous, après avoir déposé votre valise?

— Oui, Mademoiselle. Ce n'est que le soir, après avoir
déposé ma valise dans la chambre, juste avant le dîner, que
je me suis promené dans la ville. Je cherchais un restaurant.
C'est long et difficile, n'est-ce pas, de trouver ce qu'il vous   50
faut lorsqu'on est limité par le prix. Et c'est pendant que je
cherchais que je me suis un peu égaré du centre et que je
suis tombé sur le jardin zoologique. La brise s'était levée.
Les gens étaient sortis de la précipitation du travail et ils
se promenaient dans ce jardin qui est, comme je vous l'ai   55
dit, sur une hauteur qui domine la ville.

— Mais je suis sûre, Monsieur, que la vie est bonne. Sans
ça, allez, je ne me donnerais pas tant de peine.

[136] **que je me laisse aller**   that I let myself (*become impatient*).
[137] **pas . . . comme vous à ne rien faire** = *on ne pense pas . . . à ne rien
faire comme vous.*

— Je ne sais pas ce qui s'est passé. Dès que je suis entré dans ce jardin, je suis devenu un homme comblé par la vie. 60

— Monsieur, je ne sais pas comment un jardin, à le voir,[138] peut rendre un homme heureux.

— C'est pourtant une aventure très courante que je vous raconte là, Mademoiselle, et vous en entendrez bien d'autres pareilles au cours de votre vie. J'ai, comprenez-vous, une 65 existence ainsi faite que parler, par exemple, pour moi, est une sorte d'aubaine. Eh bien, j'ai été tout à coup aussi à l'aise dans ce jardin que s'il avait été fait pour moi autant que pour les autres. Comme si, je ne saurais vous dire mieux, j'avais grandi brusquement et que je devenais enfin à la 70 hauteur des événements de ma propre vie. Je ne pouvais pas me décider à quitter ce jardin. La brise s'était donc levée, la lumière est devenue jaune de miel, et les lions eux-mêmes, qui flambaient de tous leurs poils, bâillaient du plaisir d'être là. L'air sentait à la fois le feu et les lions et je le respirais 75 comme l'odeur même d'une fraternité qui enfin me concernait. Tous les passants étaient attentifs les uns aux autres et se délassaient dans cette lumière de miel. Je me souviens, je trouvais qu'ils ressemblaient aux lions. J'ai été heureux brusquement. 80

— Mais heureux comment, comme quelqu'un qui se repose? Comme quelqu'un qui trouve la fraîcheur après avoir eu très chaud? Heureux comme chaque jour ils sont, les autres?

— Plus que ça, je pense, sans doute parce que je n'en 85 avais pas l'habitude. Une force considérable m'est montée à la tête,[139] dont je ne savais que faire.

— Une force qui fait souffrir?

— Peut-être oui, qui fait souffrir aussi parce que rien ne paraît en mesure de l'assouvir. 90

— Cela est l'espoir, je crois bien, Monsieur.

[138] comment un jardin à le voir = *comment le fait de voir un jardin.*
[139] m'est montée à la tête   overwhelmed me.

— Oui, cela est l'espoir, je le sais. Cela est quand même
l'espoir. Et de quoi? De rien. L'espoir de l'espoir.

— Monsieur, s'il n'y avait que des gens comme vous,
nous n'y arriverions jamais.[140]

— Mais, Mademoiselle, au bout de chacune des allées de
ce jardin, de chacune des allées vraiment, on voyait la mer.
La mer, je vous avoue, ça m'est un peu égal pour ce que
j'ai à en faire[141] d'habitude dans ma vie, mais là, il se trouvait
que c'était elle que les gens regardaient, tous, même ceux
qui étaient nés là et même, me semblait-il, les lions eux-
mêmes, je le croyais. Alors, comment ne pas regarder ce que
les gens regardent, même si c'est une chose qui vous importe peu d'habitude?

— Elle ne devait plus être tellement bleue puisque le
soleil se couchait, disiez-vous.

— Elle l'était lorsque je suis sorti de l'hôtel, oui, mais
ensuite, un petit peu après que je sois arrivé dans ce jardin,
elle est devenue plus sombre et de plus en plus calme.

— Non, puisque la brise s'était levée, elle ne devait pas
être aussi calme que ça.

— Mais c'était une brise si légère, si vous saviez, et elle
ne devait souffler que sur les hauteurs, sur la ville seulement,
pas dans la plaine. Je ne sais plus très bien de quelle direction elle venait, mais sans doute pas de la haute mer.

— Et puis, Monsieur, ce soleil couchant ne devait pas
éclairer tous les lions. Ou bien alors, il aurait fallu que
toutes leurs cages donnent du même côté de ce jardin, dans
la direction du couchant.

— Mademoiselle, je vous l'affirme, c'était le cas, elles
donnaient toutes du même côté. Et le soleil couchant éclai-
rait tous les lions sans exception.

— Le soleil, donc, s'était couché sur la mer avant.

— Oui, c'est ça exactement, vous avez bien deviné. La

[140] **nous n'y arriverions jamais**   *A quoi faire?*
[141] **pour ce que j'ai à en faire**   for what I do with it.

ville et le jardin recevaient encore le soleil alors que la mer ^{25}
était déjà dans l'ombre. C'était il y a trois ans.[142] C'est pourquoi ces souvenirs sont encore si près de moi et que j'aime
les raconter.

— Je comprends, Monsieur. On croit qu'on peut se
passer de bavarder, puis ce n'est pas possible. De temps en ^{30}
temps, je cause comme ça avec des inconnus, comme nous
faisons en ce moment, toujours dans ce square, oui.

— Lorsque les gens ont envie de parler cela se voit très
fort et, c'est bien curieux, cela n'est pas bien vu[143] en général.
Il n'y a guère que dans les squares que cela semble naturel. ^{35}
Mademoiselle, vous disiez donc qu'il y avait huit pièces,
n'est-ce pas? Huit grandes pièces?

— Je ne sais pas exactement, je ne dois pas les voir
comme tout le monde. En général je les trouve grandes. Mais
peut-être ne sont-elles pas aussi grandes que ça. A vrai dire, ^{40}
cela dépend des jours. Il y a des jours où je les trouve sans fin,
d'autres où je m'y asphyxie tant elles me paraissent petites.
Mais pourquoi, Monsieur, cette question?

— Pour rien, Mademoiselle, par curiosité. Pour rien
d'autre que par curiosité. ^{45}

— Allez, Monsieur je sais bien, cela peut paraître un
peu bête, mais je n'y peux rien.

— Si j'ai bien compris, Mademoiselle, vous seriez comme
quelqu'un de très ambitieux qui voudrait tout avoir de ce
qu'ont les autres et qui le voudrait de façon si courageuse ^{50}
qu'on pourrait s'y tromper[144]... qu'on pourrait la croire...
héroïque.

— Ce mot ne m'effraie pas, Monsieur, bien que je n'y
aie jamais pensé. Voyez-vous, je suis démunie à ce point que
je peux tout me permettre pour ainsi dire. Je pourrais avec ^{55}

[142] **il y a trois ans**   three years ago.
[143] **cela n'est pas bien vu**   it's not well thought of.
[144] **s'y tromper**   *Pourquoi emploie-t-il ce mot-là?*

autant de force vouloir mourir que vouloir vivre, alors?
Car dites-moi un peu, Monsieur, à quelle douceur déjà
existante sacrifierais-je ce courage? et qui et quoi pourraient
en tempérer la rigueur? Chacun, à ma place, ferait de même,
qui, bien sûr, voudrait ce que je veux avec sérieux.[145]   60

— Sans doute, oui, Mademoiselle, oui, y a-t-il des cas,
chacun fait ce qu'il croit devoir faire, n'est-ce pas, y a-t-il
des cas où on ne peut éviter d'être comme un héros.

— Vous comprenez, Monsieur, [si je refusais une fois de
faire une chose, n'importe quelle chose, je commencerais à   65
m'organiser, à me défendre, à m'intéresser à ce que je fais.]
Je commencerais par une chose, je continuerais par une
autre et quoi encore? Et je finirais par m'occuper si bien de
mes droits que je les prendrais au sérieux et que je croirais
qu'ils existent. J'y penserais. Je ne m'ennuierais même plus.   70
Ainsi je serais perdue.»[146]

Il y eut un silence entre eux. Le soleil, qui s'était voilé,
brilla de nouveau. Puis la jeune fille recommença à parler.

«Après avoir été aussi heureux en arrivant dans ce jardin,
Monsieur, l'êtes-vous resté,[147] dites-moi?   75

— Je le suis resté plusieurs jours. Cela peut arriver.

— Croyez-vous que cela arrive à tout le monde, ou non?

— Il se peut qu'il y en ait[148] à qui cela n'est jamais arrivé.
Si insupportable que soit cette idée,[149] il doit y en avoir.

— C'est une supposition que vous faites, Monsieur,   80
n'est-ce pas?

— Oui, je peux me tromper, Mademoiselle, je n'en sais
rien, à vrai dire.

[145] Chacun . . . sérieux = *Chacun . . . qui . . . voudrait ce que je
veux . . . ferait de même.*
[146] je serais perdue *A quel point de vue?*
[147] l'êtes-vous resté? = *êtes-vous resté heureux?*
[148] qu'il y en ait = *qu'il y ait des gens.*
[149] Si insupportable que soit cette idée However unbearable that idea
may be.

— Vous avez pourtant l'air averti de ces choses, Monsieur.

— Non, Mademoiselle, je ne le suis pas plus que les [85] autres.

— Monsieur, je voulais vous demander aussi: même si le soleil s'était couché sur la mer avant, comme il va très vite à se coucher dans ces pays-là, l'ombre a dû gagner la ville très vite après, n'est-ce pas? Dix minutes après qu'il ait com- [90] mencé à se coucher, ça a dû être fait?

— Oui, Mademoiselle, mais, je vous l'assure, c'est à ce moment-là que je suis arrivé, à ce moment, vous savez, de l'incendie. _jire_

— Je vous crois, Monsieur. [95]

— On ne le dirait pas,[150] Mademoiselle.

— Si, Monsieur, tout à fait. D'ailleurs, vous auriez pu y arriver à un tout autre moment sans que rien en ait été changé par la suite, n'est-ce pas?

— J'aurais pu, oui, mais c'est à ce moment-là que je suis[100] arrivé, même s'il ne dure que quelques minutes par jour.

— Mais là n'est quand même pas la question[151]?

— Non. Là n'est pas la question.

— Mais après, cependant?

— Après, le jardin est resté le même, sauf qu'il y a fait [5] nuit. La fraîcheur montait de la mer, et comme il avait fait très chaud dans la journée, on l'appréciait beaucoup.

— Mais, quand même, à la fin, il vous a bien fallu dîner, non?

— Je n'ai plus eu très faim, tout à coup, j'ai eu soif. Ce [10] soir-là je n'ai pas dîné. Peut-être n'y ai-je pas pensé.

— Mais n'étiez-vous pas sorti de votre hôtel pour cela: dîner?

— Oui, mais ensuite j'ai oublié de le faire.

— Moi, voyez, Monsieur, je suis comme dans la nuit tout [15] le jour.

150 **On ne le dirait pas**   One wouldn't think so.
151 **là n'est . . . pas la question**   that's . . . not the point.

— Mais c'est aussi parce que vous le voulez, Mademoiselle, non? Vous désirez en sortir telle que vous y êtes rentrée,
en somme, comme on se réveille précisément d'une longue
nuit. Je sais ce qu'il en est,[152] bien sûr, de vouloir faire la [20]
nuit autour de soi,[153] mais, voyez-vous, il me semble qu'on
a beau faire, les dangers du jour percent quand même à
travers.

— Oh, ce n'est pas une nuit tellement épaisse, Monsieur,
et je ne crois pas que le jour puisse tellement la menacer. [25]
J'ai vingt ans. Il ne m'est encore rien arrivé. Et je dors bien.
Mais un jour, il faudra bien que je me réveille pour toujours, il le faudra.

— Ainsi, les jours s'écoulent toujours pareils pour vous,
Mademoiselle, même dans leur diversité. [30]

— Ce soir, ils reçoivent quelques amis comme tous les
jeudis. Je mangerai du gigot, seule dans la cuisine, au bout
du corridor.

— Et la rumeur de leur conversation vous arrivera[154]
toujours pareille, pareille à un tel point qu'on pourrait [35]
croire de loin qu'ils se disent tous les jeudis les mêmes
choses?

— Oui, et je n'y comprendrai rien, comme d'habitude.

— Et vous serez seule, là, entourée des restes du gigot,
dans une sorte d'assoupissement. Et on vous appellera pour [40]
desservir les assiettes à gigot et servir la suite.[155]

— Non, on me sonnera, mais vous vous trompez, on ne
me réveillera pas, je les sers dans un demi-sommeil.

— Comme eux sont servis, dans l'ignorance totale de
qui vous pouvez bien être, vous aussi. Ainsi vous êtes quitte, [45]
en somme, ils ne peuvent ni vous attrister ni vous amuser,
vous dormez.

---

[152] **ce qu'il en est**   what it feels like.
[153] **faire la nuit autour de soi**   surround oneself with darkness.
[154] **vous arrivera**   will reach you.
[155] **la suite**   the next course.

— Oui. Et ensuite ils s'en vont et la maison redevient calme jusqu'au lendemain matin.

— Où vous recommencerez à les ignorer tout en les servant aussi parfaitement que possible. 50

— Sans doute, Monsieur, mais je dors bien, ah! C'est un √vertige que mon sommeil[156] et ils n'y peuvent rien. Mais pourquoi dites-vous ces choses?

— Peut-être pour vous les rappeler à vous-même, je ne 55 sais pas.

— Oui, Monsieur, sans doute, mais voyez-vous, un jour, un beau jour,[157] je pénétrerai dans le salon, à l'heure qu'il sera, dans deux heures et demie,[158] et je parlerai.

— Il le faudra. 60

— Je dirai: ce soir je ne sers pas. Madame se retournera vers moi et s'étonnera. Je dirai: pourquoi servirais-je puisque √à partir de ce soir... à partir de ce soir[159]... Mais non, je ne vois pas bien comment des choses de cette importance-là se disent.» 65

L'homme ne répondit pas et l'on aurait pu le croire attentif à la douceur de la brise qui, une nouvelle fois, s'était levée. La jeune fille n'avait l'air d'attendre aucune réponse à ce qu'elle venait de dire.

«Dans quelques jours, ce sera l'été, dit l'homme — et il 70 ajouta dans un gémissement — ah! nous sommes vraiment les derniers des derniers.[160] *the lowest of the low*

— On dit qu'il en faut.

— On dit qu'il faut de tout, Mademoiselle, oui.

---

[156] **C'est un vertige que mon sommeil**   This sleep of mind is a sheer dizziness.

[157] **un beau jour**   some day, *also,* some fine day.

[158] **à l'heure qu'il sera, dans deux heures et demie**   *That is, at dinner time, since it is now approximately the time of the* **goûter.** *Pourquoi attendra-t-elle ce moment particulier de la journée?*

[159] **à partir de ce soir**   *Quelle serait la fin de sa phrase? Pourquoi n'achève-t-elle pas?*

[160] **les derniers des derniers**   the lowest of the low.

— Pourtant, Monsieur, on se demande parfois pour- 75
quoi il en est ainsi.

— Que ce soit nous[161] plutôt que d'autres?

— Oui, mais au point où nous en sommes, on se demande aussi si nous plutôt que d'autres ça ne revient pas au
même.[162] Quelquefois on se le demande.   80

— Oui, et quelquefois, dans certains cas, cela peut ras-
surer, en fin de compte.[163] *finally* .

— Pour ma part, non, cela ne me rassurera pas, non, non. ✓
Il faut que je me borne à savoir que c'est seulement de moi
qu'il s'agit,[164] plutôt que des autres. Sans cela je suis perdue. 85

— Qui sait, Mademoiselle, cela va peut-être cesser très
vite pour vous, tout d'un coup, peut-être que ce sera cet
été-ci, on ne sait jamais, que vous entrerez dans ce salon et
que vous déclarerez que, désormais, le monde se passera de
vos services.   90

— Qui sait en effet? Quand je parle du monde, c'est de
l'orgueil, me direz-vous,[165] mais il me semble toujours que
c'est du monde entier que je parle, vous comprenez bien?

— Oui, je comprends.

— J'ouvrirai cette porte du salon, Monsieur, et voilà, ce 95
sera fait d'un seul coup et pour toujours.

— Et vous vous souviendrez toujours de ce moment-là
comme je me souviens de ce voyage. Je n'en ai jamais refait
d'aussi beau depuis, ni aucun qui me rende à ce point
heureux.   100

— Pourquoi cette tristesse tout à coup, Monsieur? Voyez-
vous une tristesse quelconque à ce qu'un jour il me faille

[161] **Que ce soit nous** = *Pourquoi c'est nous.*
[162] **au point où nous en sommes . . . au même** from where we stand,
one wonders if it makes any difference whether it's us or others.
Pourquoi dit-elle cela?
[163] **en fin de compte** finally. *Qu'est-ce que cela veut dire?*
[164] **c'est seulement de moi qu'il s'agit** *Qu'y a-t-il à la base de cette
différence d'attitudes?*
[165] **me direz-vous** you might say.

ouvrir cette porte?[166] Trouvez-vous que cela n'est pas complètement désirable?

— Non, Mademoiselle, cela me semble tout à fait dé- 5
sirable et même plus que ça. Si cela m'attriste un peu, il est
vrai, lorsque vous parlez d'ouvrir cette porte, c'est que vous
l'ouvrirez pour toujours, qu'ensuite, vous n'aurez plus à le
faire jamais.[167] Et puis cela me semble parfois si long, si long,
de retourner dans un pays qui me convienne autant que 10
celui dont je vous ai parlé, que parfois je doute, je me demande s'il ne serait pas préférable de ne pas commencer à
en voir un.

— Monsieur, excusez-moi, mais je ne peux pas savoir,
vous comprenez, ce qu'il en est d'avoir vu cette ville et 15
d'espérer la revoir, et la désolation qui a l'air de vous venir
à attendre[168] ce moment-là. Et vous aurez beau me ressasser
que ce n'est pas gai, aussi gentiment que vous le pourrez, je
ne pourrai pas le comprendre. Je ne sais rien, je ne sais rien
en dehors de ceci: c'est qu'un jour il faudra que j'ouvre 20
cette porte et que je parle à ces gens.

— Oui, Mademoiselle, bien sûr. Ne prenez pas garde à
ces réflexions. Elles me viennent à l'esprit[169] à l'occasion de
ce que vous me dites, simplement, mais je ne voudrais pas
qu'elles vous découragent. Au contraire même, et, voyez- 25
vous, j'irai même jusqu'à vous demander[170] ceci: cette porte,
Mademoiselle, quel moment privilégié attendez-vous pour
l'ouvrir? Pourquoi ne décidez-vous pas de l'ouvrir, par exemple, dès ce soir?

— Seule, je ne le pourrais pas. 30

---

[166] **Voyez-vous . . . porte?**   Do you see anything sad in my having to
open the door?
[167] **vous n'aurez plus . . . jamais**   *The act itself is worth more than
its results.*
[168] **à attendre**   from waiting for.
[169] **Elles me viennent à l'esprit**   They come to my mind.
[170] **j'irai même jusqu'à vous demander**   I'll go as far as to ask you.

— Voulez-vous dire, Mademoiselle, que n'ayant ni argent ni instruction, vous ne pourriez que recommencer, que cela ne servirait donc à rien?

— Je veux dire cela et aussi autre chose. Je dis que seule, je serais comme, je ne sais pas comment vous dire, comme [35] privée de sens,[171] oui. Seule, je ne pourrais pas changer. Je continuerai à aller à ce bal avec régularité, et un jour un homme me demandera d'être sa femme, et alors je le ferai. Avant cela, non, je ne le pourrai pas.[172]

— Comment pouvez-vous savoir qu'il en serait comme [40] un sort[173] si vous n'avez jamais essayé?

— J'ai essayé. Et depuis je le sais, je sais que seule... en dehors de cet état peut-être, toute seule dans une ville... je serais, oui, comme je vous disais, comme privée de sens, je ne saurais plus ce que je veux, je ne saurais même peut-être [45] plus tout à fait qui je suis, je ne saurais plus vouloir changer. J'en resterai là, sans rien faire, à me dire que cela n'en vaut pas la peine.

— Je vois un peu ce que vous voulez dire, Mademoiselle, oui, je le vois même assez bien. [50]

— Il faut qu'on me choisisse une fois.[174] De cette façon j'aurai la force de changer. Je ne dis pas que cela vaut[175] pour tout le monde. Je dis que cela vaut pour moi. J'ai déjà essayé et je le sais. Non pas parce que j'ai eu faim, non, mais ayant eu faim, cela ne m'importait plus. Je ne savais même [55] plus très bien qui avait faim en moi.

— Je vous comprends, Mademoiselle, je vois ce que cela peut être... oui, je le devine, bien que je n'aie jamais désiré être choisi entre tous[176] comme vous le voulez, vous, et que,

[171] **privée de sens**   deprived of my senses.
[172] **je ne le pourrais pas**   *Pourquoi ne le pourrait-elle pas?*
[173] **un sort**   a spell.
[174] **Il faut qu'on me choisisse une fois**   *Pourquoi faut-il cela?*
[175] **cela vaut**   it works.
[176] **être choisi entre tous**   to be singled out.

même si cela m'est arrivé occasionnellement, je n'en aie [60]
jamais fait une question de cette importance.[177]

— Vous comprenez, Monsieur, vous comprenez, je n'ai
jamais été choisie par personne, sauf en raison de mes ca-
pacités les plus impersonnelles, et afin d'être aussi inexis-
tante que possible, alors il faut que je sois choisie par quel- [65]
qu'un, une fois, même une seule. Sans cela j'existerai si peu,
même à mes propres yeux, que je ne saurai même pas vouloir
choisir à mon tour. C'est pourquoi je m'acharne tant sur
le mariage, vous comprenez.

— Oui, Mademoiselle, sans doute, mais j'ai beau faire, [70]
je ne vois pas très bien comment vous espérez être choisie si
vous ne pouvez choisir vous-même.

— Je sais bien que cela peut paraître impossible, mais
quand même il faudra que cela arrive. Car si je me laissais
moi-même choisir,[178] tous les hommes me conviendraient, [75]
tous, à condition seulement qu'ils veuillent un peu de moi.
Un homme qui, seulement, me remarquerait, je le trouverais
désirable de ce seul fait,[179] alors comment saurais-je ce qui
me conviendrait quand tous me conviendraient s'ils voulaient de moi? Non, on devra deviner, pour moi, ce qui me [80]
conviendra le mieux, moi, je ne le saurai jamais toute seule.

— Même un enfant sait ce qui lui convient.

— Mais je ne suis pas une enfant, et si je me laisse aller à
l'être, à ce plaisir qui court les rues, je le sais bien, allez,
qui est partout à me guetter,[180] je suivrai le premier venu,[181] [85]
qui ne voudra de moi que pour ce même plaisir que je

---

[177] **je n'en aie jamais fait . . . importance** I never attached that much
importance to it.
[178] **si je me laissais moi-même choisir** if I allowed myself to choose.
[179] **de ce seul fait** for that reason alone.
[180] **si je me laisse aller à l'être, à ce plaisir qui court les rues, . . . qui
est partout à me guetter** If I let myself be one, and yield to that
pleasure which is the most common thing . . . and lies in wait everywhere for me like a trap.
[181] **le premier venu** anybody.

chercherai avec lui et je serai perdue, alors, tout à fait. Je
pourrais me faire une autre vie, me direz-vous, oui, mais
voilà, recommencer à l'envisager, je n'en ai déjà plus le
courage. 90

— Mais vous n'avez pas pensé que ce choix qu'un autre
fera de lui-même[182] en votre nom pourra ne pas vous convenir et le rendre malheureux plus tard?

— J'y ai un peu pensé, oui, mais je ne peux pas déjà, et
avant de commencer quoi que ce soit, envisager le mal pos- 95
sible que je pourrai faire aux autres plus tard. Je me dis une
seule chose: c'est que, si tout le monde fait plus ou moins de
mal en vivant, en choisissant, en se trompant, si cela est inévitable, eh bien! j'en passerai par là, moi aussi. J'en passerai
par le mal s'il le faut, si tout le monde en passe par là. 100

— Tranquillisez-vous, Mademoiselle, il s'en trouvera
bien[183] qui devineront que vous existerez un jour, soyez-en
sûre, et pour eux et pour les autres. Pourtant, voyez-vous, on
peut parfois presque se faire à ce manque dont vous parlez. 5

— Quel manque? De n'être jamais choisi?

— Si vous voulez, oui. D'être choisi, quant à moi, serait
une chose qui m'étonnerait tellement qu'elle me ferait rire,
je crois bien, si elle m'arrivait pour de bon.[184]

— Je ne m'en étonnerais pas du tout, moi. Je la trouverais au contraire tout à fait naturelle. C'est, au contraire, 10
de n'avoir encore été choisie par personne qui m'étonne
chaque jour davantage. Je ne peux pas arriver à le comprendre, et c'est cela, moi, à quoi je ne peux pas m'habituer.

— Cela arrivera, Mademoiselle, je vous l'assure.

— Je vous remercie, Monsieur. Mais le dites-vous pour 15
me faire plaisir ou ces choses peuvent-elles déjà se voir, se
deviner[185] un peu, déjà, sur moi?

[182] **de lui-même** by himself, *or,* of himself.
[183] **il s'en trouvera bien** there'll certainly be people.
[184] **pour de bon** in real life.
[185] **se voir, se deviner** be seen, guessed.

— Sans doute peuvent-elles déjà se deviner, oui. A vrai
dire, je vous l'ai dit sans y réfléchir beaucoup, mais non pas
pour vous faire plaisir, pas du tout. Je l'ai dit d'évidence,[186] 20
quoi.

— Et vous, Monsieur, comment le savez-vous pour vous-
même?

— Eh bien, parce que... justement, je ne m'en étonne pas,
oui, cela doit être ça... Je ne m'étonne pas du tout, alors que 25
vous vous en étonnez tant, de ne pas être choisi entre tous
les autres de la façon que vous désirez.

— A votre place, Monsieur, je me ferais venir cette
envie[187] coûte que coûte, mais je ne resterais pas ainsi.

— Mais, Mademoiselle, puisque je ne l'ai pas, cette 30
envie, elle ne pourrait me venir que... que du dehors. Comment faire autrement?

— Ah! Monsieur. Vous me donneriez envie de mourir.

— Moi particulièrement, ou est-ce une façon de parler?

— C'est une façon de parler, Monsieur, sans doute, et de 35
vous, et de moi.

— Parce qu'il y a aussi que je n'aimerais pas tellement,
Mademoiselle, avoir provoqué chez quelqu'un, ne serait-ce
qu'une seule fois[188] dans ma vie, une envie aussi violente de
quelque chose. 40

— Je m'excuse, Monsieur.

— Oh! Mademoiselle, cela n'a aucune importance.

— Et je vous remercie aussi.

— Mais de quoi?

— Je ne sais pas, Monsieur, de votre amabilité.» 45

---

[186] d'évidence = *parce que c'est évident*   because it is obvious.
[187] **je me ferais venir cette envie**   I would force myself to have that
desire.
[188] **ne serait-ce qu'une seule fois**   even if only once.

II

II.

L'ENFANT arriva tranquillement du fond du square et se planta de nouveau devant la jeune fille.

« J'ai soif », déclara-t-il.

La jeune fille sortit un thermos et une timbale de son sac.

« C'est vrai, dit l'homme, qu'après avoir mangé ses deux [5] tartines il doit avoir soif. »

La jeune fille montra le thermos et le déboucha. Du lait encore bien chaud fuma dans le soleil.

« Mais, Monsieur, dit-elle, je lui ai apporté du lait. »

L'enfant but goulûment tout le contenu de la timbale [10] puis il la rendit à la jeune fille. Il resta autour des lèvres roses un nuage de lait. La jeune fille les essuya dans un geste léger et sûr. L'homme sourit à l'enfant.

« Si je le disais, fit-il,[189] c'était simplement pour le remarquer, pour rien d'autre que pour le remarquer. » [15]

L'enfant regarda cet homme qui lui souriait, complètement indifférent. Puis il retourna vers le sable. La jeune fille le suivit des yeux.

« Il s'appelle Jacques, dit-elle.

— Jacques », répéta l'homme. [20]

[Mais il ne pensait pas à l'enfant.] *unusual.*

« Je ne sais pas si vous avez remarqué, continua-t-il, comme le lait leur reste autour des lèvres après qu'ils aient bu. C'est

[189] fit-il = *dit-il*.

55

curieux. Ils ont déjà des façons, ils parlent, ils marchent, et, quand ils boivent du lait, tout à coup, on comprend... [25]

— Celui-là ne dit pas le lait, il dit mon lait.

— Quand je vois une chose comme ça, ce lait, une confiance m'emplit soudain, sans que je puisse en dire la raison. Comme un soulagement aussi de je ne sais quel accablement. Oui, je crois bien que tous les enfants me ramènent aux [30] lions de ce jardin.[190] Je les vois comme des lions de petite taille, mais je les vois bien comme des lions, oui.

— Ils n'ont pas l'air cependant de vous donner le même genre de bonheur que ces lions dont les cages étaient tournées vers le soleil.[191] [35]

— Ils donnent un certain bonheur mais pas le même, il est vrai. Ils vous inquiètent, ils vous troublent toujours. Ce n'est pas que j'aime spécialement les lions, vous comprenez, non. Non, c'est une façon de parler.

— Peut-être accordez-vous trop d'importance à cette ville, [40] Monsieur, et que[192] le reste de votre existence en pâtira un peu. Ou bien, encore une fois, voulez-vous sans que je l'aie vue que je comprenne le bonheur qu'elle a pu vous donner?

— Peut-être, oui, Mademoiselle, que c'est à une personne [45] de votre genre que j'aimerais le mieux le décrire.

— Je vous remercie, Monsieur, vous êtes aimable, mais, voyez-vous, je n'ai pas voulu dire que j'étais spécialement malheureuse[193] dans mon état, que je l'étais plus que d'autres dans le même état. Non, il s'agit de bien autre chose dont la [50] vue d'aucun pays au monde, je le crains, ne pourrait me tenir lieu.[194]

— Je m'excuse, Mademoiselle, mais, lorsque je dis que c'est à une personne comme vous que j'aimerais de bien

[190] **aux lions de ce jardin** *Pourquoi?*
[191] **étaient tournées vers le soleil** were facing the sun.
[192] **et que** = *et peut-être que.*
[193] **malheureuse** *Y-a-t-il une transition? Laquelle?*
[194] **bien autre chose . . . tenir lieu** something quite different, and no country in the world which I could see could take its place.

décrire les moments que j'ai passés dans ce pays, je ne veux 55
pas insinuer du tout que vous êtes malheureuse sans le
savoir, et que d'apprendre certaines choses vous ferait du
bien, non, je veux simplement dire qu'il m'avait semblé
que vous étiez une personne plus indiquée qu'une autre
pour comprendre ce qu'on veut dire. C'est tout, je vous 60
assure. Mais sans doute ai-je trop insisté sur cette ville, et
sans doute ne pouviez-vous que mal le prendre.[195] *misunderstand it*

— Non, certainement pas, Monsieur, non, simplement
je voulais vous prévenir, au cas où vous auriez fait cette
erreur de me croire malheureuse, vous dire[196] que vous vous 65
trompiez. Evidemment il y a des moments où je pleure, c'est
vrai, mais c'est seulement d'impatience, d'irritation si vous √
voulez. Non, l'occasion de m'attrister enfin sérieusement sur
moi-même, je l'attends encore.

— Je vois bien, Mademoiselle, oui, mais vous pourriez 70
parfois vous y tromper, n'est-ce pas, et ne voir à cela aucun
inconvénient.

— Non, je ne pourrais pas. Je serai malheureuse à la
façon de tout le monde ou alors je ne le serai pas. Je veux
l'être comme les autres le sont ou alors j'éviterai de l'être le 75
plus que je pourrai. Si la vie n'est pas heureuse, j'ai envie
de l'apprendre par moi-même, vous comprenez, pour mon
compte, jusqu'au bout, et aussi complètement qu'il sera
possible; et ensuite, eh bien! je mourrai à cela[197] que j'aurais
voulu et on me pleurera. Je ne demande, en somme, que le 80
sort commun. Mais, Monsieur, quand même, dites-moi un
peu comment c'était.

— Je saurais très mal le faire. Vous comprenez, je ne
dormais pas, et pourtant je n'étais pas fatigué.

— Et encore?   85

— Je ne mangeais pas, et je n'avais pas faim.

— Et encore?

[195] **mal le prendre**   misunderstand it.
[196] **vous dire** = *je voulais vous dire*   *Pourquoi insiste-t-elle ainsi?*
[197] **à cela** = *en faisant cela.*

— Toutes mes petites difficultés s'étaient évanouies comme si elles n'avaient existé jusque-là[198] que dans mon imagination. Elles me revenaient à la mémoire comme d'un [90] lointain passé et j'en souriais.

— Mais à la fin vous auriez eu faim et vous auriez été fatigué, c'est impossible autrement.

— Sans doute, oui, mais je ne suis pas resté suffisamment dans cette ville pour que la faim me revienne, et la fatigue. [95]

— Lorsqu'elle vous est revenue, ailleurs, était-elle grande, cette fatigue?

— J'ai dormi tout un jour dans un bois au bord de la route.

— Comme ces vagabonds qui font peur?   [100]

— Oui, pareil,[199] ma valise à côté de moi.

— Je comprends, Monsieur.

— Non, Mademoiselle, je ne crois pas que vous le puissiez encore.

— Je veux dire que j'essaie, Monsieur, mais un jour j'y [5] arriverai, je comprendrai tout à fait ce que vous venez de me dire. Tout le monde le peut, n'est-ce pas, Monsieur?

— Oui, mais vous, il me semble que vous le comprendrez un jour tout à fait, aussi complètement que possible.

— Ah! Monsieur, vous n'imaginez pas combien c'est [10] difficile d'arriver à cela que je vous disais, à obtenir par soimême, et toute seule, le sort de tout le monde. Je veux dire surtout combien c'est difficile, comprenez-vous, de surmonter la lassitude qui vous vient de vous-même à vouloir[200] pour vous-même, vous tout seul, les avantages de tout le monde. [15]

— Sans doute est-ce cela, en effet, qui retient tant de gens d'essayer de les obtenir. Je vous admire de surmonter ces difficultés.

---

[198] jusque-là till then.
[199] pareil the same way.
[200] la lassitude . . . à vouloir = *la lassitude de vous-même qui vous vient à vouloir* the weariness . . . from wanting.

— Hélas! la volonté n'est pas tout. S'il s'est trouvé jusqu'ici[201] quelques hommes à qui je plaisais, aucun ne m'a encore demandé d'être sa femme. C'est une chose bien différente d'avoir du goût pour une jeune fille et de la vouloir pour femme. Et dire qu'il[202] faut que j'en passe par là. Impossible de faire autrement. Il faut que je sois prise au sérieux positivement une fois dans ma vie. Monsieur, je voulais vous demander ceci: lorsqu'on veut une chose tout le temps, à chaque heure du jour et de la nuit, doit-on forcément l'obtenir?

— Je ne crois pas qu'on l'obtienne forcément, Mademoiselle, mais c'est encore la meilleure méthode pour essayer, pour avoir la plus grande chance de l'obtenir. Je n'en vois pas d'autres.

— On parle, n'est-ce pas, Monsieur, et comme on ne se connaît pas,[203] vous pouvez me dire la vérité.

— Oui, Mademoiselle, mais encore une fois, je n'en vois pas d'autres. Mais peut-être ai-je si peu d'expérience que je ne peux pas tout à fait savoir ce qu'il en est.[204]

— Parce que j'ai entendu dire que c'était au contraire en n'essayant pas le moins du monde d'obtenir une chose qu'on arrivait à l'obtenir.

— Mais, Mademoiselle, comment arriveriez-vous à ne pas vouloir quelque chose tout en la voulant tellement?

— C'est ce que je me suis dit, oui, et, à vrai dire, cette manière-là je ne l'ai jamais trouvée bien sérieuse. Je pense qu'elle doit être réservée aux gens qui veulent quelque chose dans le détail, qui ont déjà quelque chose à partir de quoi ils veulent autre chose, mais non pas à ceux comme nous, pardon, Monsieur, comme moi, je veux dire, qui veulent tout avoir, non dans le détail, mais dans le... comment dit-on?

[201] **jusqu'ici** so far.
[202] **Et dire qu(e)** And to think that.
[203] **comme on ne se connaît pas** *En fait, ceci explique la sincérité du dialogue.*
[204] **ce qu'il en est** how it works.

— Dans le principe.   50

— Peut-être, oui. Mais j'aimerais bien que vous me re-
parliez des enfants. Vous les aimez, disiez-vous.

— Oui. Quelquefois, lorsque je ne trouve personne à
qui parler, je leur parle. Mais vous savez bien ce qu'il en est,
on ne peut pas parler beaucoup aux enfants.   55

— Ah! Monsieur, vous avez raison, nous sommes les
derniers des derniers.

— Mais je ne veux pas dire, à mon tour, que je suis malheureux ou triste quand je dis que parfois j'éprouve un
besoin de parler si vif que je m'adresse à des enfants. Non,   60
ce n'est pas ça puisque j'ai quand même un peu choisi la
vie que j'ai là, ou alors il faudrait que je sois fou pour avoir
choisi mon malheur.[205]

— Je n'ai pas voulu dire cela et, à mon tour, je m'excuse.
Non, cela m'est sorti de la bouche à la vue de ce beau temps   65
seulement. Vous devez me comprendre et ne pas vous en
formaliser. Le beau temps, parfois, me fait douter de tout
mais cela ne dure que quelques secondes. Je m'excuse,
Monsieur.

— Cela n'a pas d'importance, allez. Non, si je vais quel-   70
quefois dans les squares, c'est quand je suis resté quelques
jours sans parler, vous voyez, sans bavarder, quoi, quand je
n'ai pas eu d'autre occasion de le faire qu'avec des gens qui
achètent ma marchandise, et que ces gens sont pressés ou
tellement méfiants que je ne peux arriver à leur dire un   75
mot en dehors de ceux pour vanter mes cotons.[206] Alors, dans
ces conditions, au bout de quelques jours, on s'en ressent,
naturellement. On s'ennuie si fort de bavarder avec quelqu'un et que quelqu'un vous écoute que ça peut vous rendre
même un peu malade, vous donner comme un peu de fièvre.   80

— Oui, je sais, il semble alors qu'on pourrait se passer
de tout, de manger, de dormir, plutôt que de bavarder. Mais

[205] **pour avoir choisi mon malheur**   *Pourquoi insiste-t-il tant?*
[206] **mes cotons**   my cotton goods.

dans cette ville, Monsieur, vous avez pu vous passer de la compagnie des enfants, n'est-ce pas?

— Dans cette ville,[207] oui, Mademoiselle. Ce n'était pas avec des enfants que j'étais. 85

— Je l'avais bien compris ainsi.

— Je les voyais de loin. Il y en a beaucoup dans les faubourgs et ils sont très libres, et dès l'âge de celui que vous gardez, dès cinq ans, ils traversent toute la ville pour aller au 90 zoo. Ils mangent n'importe quand et ils dorment l'après-midi à l'ombre des cages des lions. Je les voyais de loin, oui, dormir à l'ombre de ces cages.

— C'est vrai, que les enfants ont tout leur temps, qu'ils parlent avec qui leur parle, et qu'ils sont toujours prêts à 95 vous écouter, mais on n'a pas beaucoup à leur dire.

— C'est là l'ennui, oui, ils n'ont aucun préjugé contre les gens solitaires, ils ne se méfient de personne mais, comme vous le disiez, on n'a pas beaucoup à leur dire.

— Mais encore, Monsieur? 100

— Oh! nous nous valons tous[208] à leurs yeux si nous leur parlons des avions et des locomotives. C'est de ça qu'on peut leur parler, toujours des mêmes choses. Ça ne change pas beaucoup, mais enfin.

— Ils ne peuvent comprendre le reste, le malheur par 5 exemple, et leur parler ne doit pas faire grand bien.

— Si vous leur parlez d'autre chose, ils n'écoutent plus, ils s'en vont.

— Moi, quelquefois, je parle toute seule.

— Cela m'est arrivé, à moi aussi. 10

— Je ne me parle pas, non. Je parle à quelqu'un de totalement imaginaire et qui pourtant n'est pas n'importe qui, mais mon ennemi personnel. Ainsi, voyez, je n'ai pas encore d'amis et je m'invente des ennemis.

— A votre tour, que lui dites-vous, Mademoiselle? 15

---

[207] **dans cette ville** *Pourquoi y revient-elle tout le temps?*
[208] **nous nous valons tous** we all have the same merits.

— Je l'insulte, et sans jamais lui donner la moindre explication. Pourquoi, dites-moi, Monsieur?

— Qui sait? Sans doute parce qu'un ennemi ne peut pas vous comprendre et que vous supporteriez mal la douceur d'être comprise, le soulagement que cela procure. 20

— Et puis c'est encore dire quelque chose, n'est-ce pas, et qui n'est pas un mot de mon travail.[209]

— Oui, Mademoiselle, et puisque personne ne vous entend et que cela vous fait plaisir, il vaut mieux ne pas vous en empêcher. 25

— Quand je parlais du malheur que les enfants ne peuvent pas comprendre, je parlais du malheur en général, Monsieur, celui de tout le monde, mais d'aucun en particulier.

— Je l'ai bien compris ainsi, Mademoiselle. On ne supporterait d'ailleurs pas que les enfants comprennent le malheur. Sans doute sont-ils les seuls êtres que l'on ne supporte pas malheureux.[210] 30

— Il n'y en a pas beaucoup, n'est-ce pas, des gens heureux? 35

— Je ne crois pas, non. Il y en a qui croient important de l'être, et qui croient l'être mais qui, au fond, ne le sont pas tellement que ça.

— J'aurais cru pourtant que c'était comme un devoir de tous les hommes, d'être heureux, comme on recherche le soleil plutôt que l'ombre. Regardez, moi, par exemple, Monsieur, tout le mal que je me donne. 40

— Bien sûr qu'il[211] en est comme un devoir, Mademoiselle, je le crois aussi. Mais vous, vous comprenez, si vous recherchez le soleil c'est à partir de la nuit. Vous ne pouvez pas faire autrement. On ne peut pas vivre dans la nuit. 45

[209] **et qui n'est pas un mot de mon travail**   which has nothing to do with my work.
[210] **que l'on ne supporte pas malheureux** = *que l'on ne supporte pas de voir malheureux.*
[211] **Bien sûr qu(e)** = *Bien sûr.*

— Mais cette nuit, je la fais, Monsieur, et comme les
autres recherchent le soleil, je la fais comme les autres, le
bonheur, c'est la même chose.[212] C'est pour mon bonheur que
je la fais.

— Oui, Mademoiselle, c'est justement pourquoi les
choses sont plus simples peut-être pour vous que pour les
autres, vous n'avez pas d'autre choix, tandis que les autres
qui en ont un, eh bien, il peut se faire qu'ils s'ennuient
d'autre chose qu'ils ne connaissent encore pas.

— Monsieur[213] chez qui je sers, on pourrait le croire heureux. C'est un homme dans les affaires,[214] qui a beaucoup
d'argent. Pourtant, il est distrait comme, oui, quelqu'un qui
s'ennuie. Je crois bien qu'il ne m'a jamais regardée, qu'il me
reconnaît sans jamais m'avoir vue.

— Vous êtes une personne que l'on regarde, pourtant,
Mademoiselle.

— Mais il ne regarde personne, on dirait qu'il ne sait
plus se servir de ses yeux. C'est pourquoi il me semble parfois
moins heureux qu'on pourrait le croire. Comme s'il était
fatigué de tout, y compris de voir.

— Et sa femme?

— Sa femme aussi, on pourrait la croire heureuse. Mais,
moi, je sais que non.[215]

— Les femmes de ces hommes s'apeurent facilement et
elles ont le regard bas[216] et fatigué des femmes qui ne rêvent
plus, n'est-ce pas?

— Celle-là, non, elle a le regard clair, et rien ne la prend
au dépourvu.[217] Elle passe pour être comblée par la vie. Mais

---

[212] **Mais cette nuit . . . chose** = *Mais cette nuit, je la fais, Monsieur, et
comme* (*à la manière dont*) *les autres recherchent le soleil; je la fais
comme les autres font le bonheur; c'est la même chose.*
[213] **Monsieur** = *Le monsieur.*
[214] **un homme dans les affaires** a businessman.
[215] **je sais que non** I know that she isn't.
[216] **le regard bas** the downcast eyes.
[217] **rien ne la prend au dépourvu** nothing catches her off her guard.

moi, je sais que non. Dans mon métier on apprend ces choses. [75]
Bien souvent, le soir, elle vient à la cuisine avec un air dé-
sœuvré qui ne trompe pas, et elle a l'air de rechercher ma
compagnie.

— C'est bien ce que nous disions: au fond, les gens sup-
portent mal le bonheur. Ils le désirent bien sûr, mais dès [80]
qu'ils l'ont, ils s'y rongent à rêver...   *is hard to bear*

— Je ne sais pas, Monsieur, si le bonheur <u>se supporte</u>
mal[218] ou si les gens le comprennent mal, ou s'ils ne savent
pas très bien celui qu'il leur faut, ou s'ils savent mal[219] s'en
servir, ou s'ils s'en fatiguent en le ménageant trop, je ne le [85]
sais pas; ce que je sais, c'est qu'on en parle, que ce mot-là
existe et que ce n'est pas pour rien qu'on l'a inventé. Et ce
n'est pas parce que je sais que les femmes, même celles qui
passent pour être les plus heureuses, se demandent beaucoup
le soir pourquoi elles mènent cette existence-là plutôt qu'une [90]
autre, que je vais douter si ce mot a été inventé pour rien.[220]
I will be content w/ that Je m'en tiendrai là[221] pour le moment.

— Bien sûr, Mademoiselle. Quand nous disions que le
bonheur se supportait mal, *we didn't mean to say* nous n'entendions pas[222] qu'il
fallait pour autant éviter d'en passer par lui. Je voulais vous [95]
demander, Mademoiselle, c'est bien vers six heures[223] que
cette femme vient vous trouver? Et qu'elle vous demande
comment ça va pour vous en ce moment?

— Oui, c'est à cette heure-là. Je sais bien ce qu'il en est,
allez, Monsieur, et que c'est une heure où bien des femmes[100]
s'ennuient d'autre chose que de ce qu'elles ont, mais je
n'abandonnerai pas la partie pour autant.

— Quand toutes les conditions sont réunies pour que

---

[218] **se supporte mal**   is hard to bear.
[219] **s'ils savent mal** = *s'ils ne savent pas très bien.*
[220] **que je vais douter . . . rien**   that I'm going to wonder if that word has been thought up for nothing.
[221] **je m'en tiendrai là**   I'll be content with it.
[222] **nous n'entendions pas**   we did not mean to say.
[223] **c'est bien vers six heures** = *c'est vers six heures, n'est-ce pas.*

ça aille bien, c'est bien ça,[224] les gens s'arrangent pour les contrarier. Ils trouvent le bonheur amer.

— Peu m'importe, Monsieur. Encore une fois, je veux connaître l'amertume du bonheur.

— Si je vous le disais, Mademoiselle, c'était sans intention, pour parler, quoi.[225]

— On pourrait croire, Monsieur, que sans vouloir m'en décourager, vous me mettiez cependant comme en garde.[226]

— A peine, Mademoiselle, à peine, et dans une toute petite mesure seulement, je vous assure.

— Mais puisque je suis prévenue déjà, par mon métier, des inconvénients du bonheur, ne vous inquiétez pas. Peu m'importe, d'ailleurs, au fond, le bonheur ou alors autre chose, peu m'importe, mais quelque chose à me mettre sous la dent.[227] Du moment que je suis là, il me faut mon comptant,[228] il n'y a pas de raison. Je ferai comme tout le monde exactement. Je ne peux pas imaginer mourir un jour sans avoir eu mon comptant, quitte, le soir, à le regarder[229] à mon tour avec l'air de Madame lorsqu'elle vient me voir.

— On vous imagine mal des yeux lassés, Mademoiselle. Vous l'ignorez peut-être, mais vous avez de bien beaux yeux.

— Ils seront beaux, Monsieur, à leur temps.

— Que voulez-vous,[230] quand on pense que vous aurez un jour quelque ressemblance avec cette femme, quelle qu'elle soit, cela décourage un peu.

— Il faut ce qu'il faut, Monsieur, et j'en passerai par là où ce sera nécessaire. C'est mon plus grand espoir. Et après

[224] c'est bien ça   that's how it is.
[225] quoi   you know.
[226] vous me mettiez . . . comme en garde   you were . . . in a way warning me.
[227] quelque chose à me mettre sous la dent   something real to take a hold of (*literally,* to put under my tooth).
[228] mon comptant   my fill.
[229] quitte . . . à le regarder   even if . . . I must look at it.
[230] Que voulez-vous   I can't help it.

que mes yeux auront été beaux, ils se rempliront d'ombre comme tous les yeux.

— Quand je vous disais que vos yeux étaient beaux, Mademoiselle, je l'entendais surtout par le regard.

— C'est que vous vous trompez, Monsieur, sans doute. [35] Et même si vous ne vous trompiez pas, moi à qui ce regard appartient, je ne peux pas m'en contenter.

— Je comprends, Mademoiselle, cependant il est difficile de ne pas vous dire que, déjà, pour les autres, vous avez de bien beaux yeux. [40]

— Autrement je suis perdue, Monsieur. Si seulement je me contente d'avoir ce regard que j'ai là, je suis perdue.

— Alors, cette femme vient à la cuisine, disiez-vous?

— Oui, elle vient parfois. C'est le seul moment de la journée où elle vienne. Elle me demande toujours la même [45] chose: comment ça va pour moi.

— Tout comme si[231] cela pouvait aller pour vous différemment la veille du lendemain?

— Oui, tout comme.

— Ces gens ont des illusions sur notre compte, que vou- [50] lez-vous.[232] Mais peut-être que cela ne fait pas partie de notre service que de les y[233] entretenir?

— Avez-vous donc déjà été dépendant d'un patron, Monsieur, pour comprendre aussi bien les choses comme vous faites? [55]

— Non, Mademoiselle, mais c'est une menace qui pèse si constamment sur les gens de notre condition qu'on l'imagine mieux que les autres.

Il y eut un assez long silence entre l'homme et la jeune fille et l'on aurait pu les croire distraits, attentifs seulement [60] à la douceur du temps. Puis l'homme, une nouvelle fois, recommença de parler. Il dit:

[231] **Tout comme si**   Just as if.
[232] **sur notre compte, que voulez-vous**   about us, what else can you expect.
[233] y = *dans leurs illusions sur notre compte.*

«Nous sommes d'accord sur le principal, Mademoiselle. Encore une fois, quand je parlais de cette femme et des gens qui évitent d'être tout à fait heureux, je ne voulais pas dire [65] par là[234] qu'il ne fallait pas pour autant ne pas suivre leurs exemples, ne pas essayer à son tour, et échouer à son tour. Je ne voulais pas dire non plus qu'il fallait se garder d'envies comme celles que vous avez d'un fourneau à gaz et éviter à l'avance tout ce qui s'ensuivra une fois que vous l'aurez [70] acheté, le frigidaire et même le bonheur. Je n'ai pas insinué une minute que je mettais en doute le bien-fondé de votre espoir.[235] Je le trouve tout à fait légitime au contraire, Mademoiselle, croyez-le.

— Devez-vous vous en aller, Monsieur, pour me parler [75] comme ça?

— Non, Mademoiselle, je ne voulais pas que vous vous trompiez sur mes paroles, c'est tout.

— A votre façon de parler tout à coup, j'ai cru que vous tiriez des conclusions sur tout ce que nous venions de dire [80] parce que quelque chose vous pressait de partir.

— Non, Mademoiselle, rien ne me presse, non. Je vous disais que je vous approuvais tout à fait et j'allais ajouter que ce que je comprenais moins bien, encore une fois, c'est quand même que vous acceptiez tout le travail supplémentaire que [85] l'on vous donne, toujours et quel qu'il soit. Je m'excuse de revenir là-dessus, Mademoiselle, mais je ne peux pas tout à fait l'admettre même si je comprends les raisons que vous avez de faire ce travail. Je crains... ce que je crains, voyez-vous, c'est que vous croyiez qu'il vous faille accepter le plus [90] de corvées possible pour mériter un jour d'en finir avec elles.

— Et quand il en serait ainsi?[236] *and what if that were so?*

— Non, Mademoiselle, non. Rien ni personne, je crois, n'a pour mission de récompenser nos mérites personnels, sur-

---

[234] **par là** by that.
[235] **que je mettais en doute . . . de votre espoir** that I questioned the appropriateness of your hope.
[236] **Et quand il en serait ainsi?** And if that were the case?

tout ceux obscurs et inconnus. ⌈Nous sommes abandonnés.[237] 95

— Mais si je vous dis que ce n'est pas pour ça, mais seulement pour garder toute pure[238] l'horreur de ce métier?

— Je m'excuse, mais, même dans ce cas, je ne suis pas
d'accord. Je crois que vous avez déjà commencé à vivre une
vie en réalité,[239] Mademoiselle, et qu'il vous faut vous le 100
répéter inlassablement, je suis bien ennuyé de vous dire une
chose pareille mais, oui, je crois que c'est fait, que vous avez
commencé et que déjà, pour vous aussi, le temps passe et que
déjà vous le gâchez, vous le perdez, par exemple en acceptant
ces corvées ou d'autres que vous pourriez éviter.   5

— Vous êtes gentil, Monsieur, de penser à la place des
autres avec tant de compréhension. Moi, je ne pourrais pas.

— Vous, vous avez autre chose à faire, Mademoiselle, et
c'est là, voyez-vous, le loisir qu'il y a à ne pas tant espérer.[240]

— Puisque je suis décidée à en sortir, c'est peut-être vrai, 10
c'est peut-être ça, le signe que la chose[241] est commencée. Et
que[242] je pleure aussi quelquefois, cela aussi doit être un
signe, il ne faut peut-être plus me le cacher.

— On pleure toujours, non, ce n'est pas ça, ce que c'est,
c'est que vous êtes là, simplement.   15

— Mais, un jour, je me suis renseignée à notre syndicat et
j'ai vu qu'il rentrait tout à fait dans nos attributions normales
de faire la plupart[243] des choses que nous faisons. C'était il y
a deux ans. Je peux bien vous le dire, au fond, nous avons[244]
parfois dans notre travail de nous occuper de très vieilles 20
femmes de parfois quatre-vingt-deux ans, et qui pèsent jusqu'à[245] quatre-vingt-douze kilos, et qui n'ont plus leur raison,

[237] **Nous sommes abandonnés**   *Par qui?*
[238] **pure**   intact.
[239] **en réalité** = *réelle.*
[240] **à ne pas tant espérer**   if one doesn't have so much hope.
[241] **la chose**   *Quelle chose?*
[242] **Et que** = *Et le fait que.*
[243] **la plupart**   *Quelle est la valeur de cette litote (**litote** understatement)?*
[244] **nous avons**   *Que représente ce pluriel?*
[245] **jusqu'à**   as much as.

et qui font leurs besoins dans leurs robes à toute heure du jour et de la nuit et dont personne ne veut plus entendre parler. C'est si pénible que, oui, je l'avoue, il nous arrive 25 parfois d'aller jusqu'au syndicat. Et il se trouve que ces choses ne sont pas interdites, qu'on n'y a même pas pensé. D'ailleurs, même si on y avait pensé, vous savez bien, Monsieur, qu'il s'en trouverait[246] toujours parmi nous pour accepter de faire n'importe quel travail, qu'il y en aurait toujours pour 30 accepter de faire ce que nous refuserions de faire, qu'il s'en trouverait toujours qui ne pourraient faire autrement que d'accepter[247] de faire ce que tout le monde aurait honte de faire.

[where you'd people]

[who could not help but accept]

— Mademoiselle, quatre-vingt-douze kilogs, disiez-vous?   35

— Oui, à la dernière pesée, elle[248] a encore grossi, et je vous ferai remarquer que je ne l'ai pas assassinée même il y a deux ans, en revenant du syndicat, et elle était déjà bien grosse et j'avais dix-huit ans, et que je ne l'assassine pas, toujours pas, alors que ce serait de plus en plus facile, bien sûr, 40 puisqu'elle vieillit de plus en plus, et sa fragilité d'autant[249] malgré sa grosseur, et qu'elle est seule dans la salle de bains le temps de la laver, et que la salle de bains est au bout de ce corridor dont je vous parlais, et qui est long comme la moitié de ce square, et qu'il suffirait de la maintenir sous l'eau pen- 45 dant trois minutes pour que la chose soit faite, et qu'en plus, elle est si vieille que ses enfants ne verraient plus grand inconvénient[250] à sa mort, ni elle-même d'ailleurs, qui ne sait plus rien de rien,[251] et je vous ferai remarquer que, non seulement je ne le fais pas, mais que je m'en occupe bien, tou- 50 jours pour les mêmes raisons que je vous ai dites, encore une

---

[246] **il s'en trouverait**   there would be people.
[247] **qui ne pourraient faire autrement que d'accepter**   who could not help but accept. *Pourquoi ne pourraient-elles faire autrement que d'accepter?*
[248] **elle**   *Que traduit son emploi du singulier maintenant?*
[249] **et sa fragilité d'autant** = *et sa fragilité augmente d'autant.*
[250] **ne verraient plus grand inconvénient**   would no longer mind.
[251] **rien de rien**   nothing at all.

fois, parce que si je l'assassinais, cela voudrait dire que j'envisage dans les choses possibles que ma situation pourrait en être améliorée, pourrait devenir supportable tout court, et que si je m'en occupais mal, outre que cela serait également 55 contraire à mon plan, il s'en trouverait toujours pour s'en occuper bien. «Une de perdue, dix de retrouvées»,[252] c'est notre seul statut. Non, il n'y a qu'un homme qui puisse me sortir de là,[253] ni le syndicat ni moi-même. Encore une fois, excusez-moi. 60

— Ah! je ne sais plus quoi vous dire, Mademoiselle.

— N'en parlons plus, Monsieur.

— Oui, Mademoiselle, mais, une dernière fois, ainsi[254] cette femme, il me semble et vous le dites vous-même, que ce serait à peine le faire. Et personne ni elle-même n'y verrait 65 grand inconvénient comme vous dites. Encore une fois, je ne vous donne pas de conseils, n'est-ce pas, mais il me semble que, dans certains cas, des gens, d'autres gens, pour se faciliter un peu la vie, pourraient par exemple faire cela et espérer ensuite tout autant de l'avenir. 70

— Non, Monsieur, c'est inutile de me parler comme ça. Je préfère que cette horreur[255] grossisse encore. C'est ma seule façon d'en sortir.[256]

— On peut toujours bavarder, n'est-ce pas, Mademoiselle, et simplement je me demandais s'il ne serait pas comme un 75 devoir de se soulager de tellement espérer?

— Je connais quelqu'un, Monsieur, au fond, je peux bien vous le dire aussi tant qu'à faire,[257] quelqu'un comme moi[258] qui a essayé, qui a tué.

---

[252] **Une de perdue, dix de retrouvées**   I am not the only pebble on the beach (*literally,* one lost, ten found). *Qu'est-ce qui rend l'emploi de ce proverbe presque insupportable à ce point?*
[253] **me sortir de là**   get me out.
[254] **ainsi** = *par exemple.*
[255] **cette horreur**   *That is, the old woman.*
[256] **C'est ma seule façon d'en sortir**   *Pourquoi?*
[257] **tant qu'à faire**   since I am at it.
[258] **quelqu'un comme moi**   *De qui parle-t-elle en fait?*

— Non, peut-être l'a-t-elle cru, même elle, mais ce ne [80] doit pas être vrai, elle n'a pas tué.[259]

— Un chien. Elle avait seize ans. Vous me direz que ce n'est pas la même chose, mais, elle qui l'a fait, elle dit que ça se ressemble énormément.

— On ne lui donnait pas à manger sans doute, ce n'est pas [85] tuer, ça.

— Si, ils mangeaient tous deux pareillement. C'était, comprenez-vous, un chien d'un très grand prix.[260] Donc, s'ils mangeaient différemment des autres, tous deux, ils mangeaient pareillement. Alors, un jour, elle lui a volé son beef- [90] steak,[261] une seule fois. Et puis ça n'a pas été suffisant.

— Elle était si petite encore, et elle avait faim de viande comme les enfants.

— Elle l'a empoisonné. Elle a pris sur son sommeil[262] pour lui mélanger de l'éponge[263] à sa pâtée. Peu lui importait [95] le sommeil,[264] me racontait-elle. Le chien a mis deux jours à mourir. Si, c'est la même chose. Elle le sait, elle l'a vu mourir.

— Mademoiselle, ce qui n'aurait pas été naturel, c'est qu'elle ne le fasse pas.

— Pourquoi cette colère contre ce chien, Monsieur? Mal- [100] gré tout ce qu'il mangeait, lui, c'était son seul ami. On ne croit pas être méchant et pourtant, voyez!

— Mademoiselle, cela ne devrait pas exister.[265] Or, du moment que cela existe quand même, nous ne pouvons pas éviter, à notre tour, de faire des choses que nous ne devrions [5] pas faire. C'est inévitable, absolument inévitable.

— On a su que c'était elle qui l'avait tué. On l'a renvoyée. On n'a rien pu lui faire d'autre parce que ça ne relève pas de

---

[259] **elle n'a pas tué** *Qu'est-ce qui rend sa réaction si passionnée?*   ~~that isn't possibly~~ *she tends of*
[260] **d'un très grand prix** very valuable.
[261] **elle lui a volé son beefsteak** *Qu'est-ce qui l'a poussée à le faire?*
[262] **Elle a pris sur son sommeil** She took time from her sleep.
[263] **de l'éponge** *Sponge expands in the dog's stomach and kills the dog.*
[264] **Peu lui importait le sommeil** = *Le sommeil lui importait peu.*
[265] **cela ne devrait pas exister** *Qu'est-ce qui ne devrait pas exister?*

la justice que de tuer un chien. Elle disait qu'elle aurait
presque préféré qu'on la punisse tant elle en avait de re- 10
mords. Il vous vient à faire ce métier-là des envies affreuses.[266]

— Mademoiselle, sortez-en.

— Je travaille toute la journée, Monsieur, et je préférais
pouvoir travailler davantage, mais à autre chose qui se fasse
au grand jour, qui se voie, qui se compte comme le reste, 15
l'argent. Je voudrais casser des pierres sur des routes, fondre
du fer dans des forges.

— Faites-le, Mademoiselle, cassez des pierres sur des
routes, sortez-en.

— Non, Monsieur, seule, comme je vous le disais, je n'y 20
arriverais pas. J'ai essayé, je n'y suis pas arrivée. Seule, tenez,
sans amour aucun, je crois que je me laisserais mourir de
faim, je n'aurais pas la force de me porter.[267]

— Il y a des femmes qui cassent des pierres sur les routes,
il y en a, et ce sont des femmes. 25

— Je le sais, chaque jour je m'en souviens, n'ayez crainte.
Mais, vous voyez, il aurait fallu que je commence par là.
Maintenant je sais que je ne le pourrais plus. Cet état vous
rebute à ce point de vous-même[268] qu'en dehors de lui, je
vous le disais, on a encore moins de sens qu'en lui, on n'est 30
même plus à ses propres yeux une raison suffisante de se nourrir. Non, désormais, il me faut un homme pour lequel j'existerai, alors je le ferai.

— Mais vous savez comment cela s'appelle, peut-être,
Mademoiselle... 35

— Non, Monsieur, je ne sais pas. Ce que je sais c'est qu'il
me faut beaucoup persévérer dans cet esclavage pour un jour
reprendre goût, par exemple, à me nourrir.

— Excusez-moi, Mademoiselle.

[266] **Il vous vient . . . affreuses** Doing that work gives you terrible
desires.
[267] **de me porter** to carry myself.
[268] **vous rebute à ce point de vous-même** makes you so disgusted with
yourself.

— Non, voyez, il faut que je reste là où j'en suis le temps ⁴⁰ *as long as*
qu'il faudra.²⁶⁹ Ce n'est pas, croyez-moi, que j'aie de la mau- *necessary*
vaise volonté, non, c'est que ce n'est pas la peine de me soulager de tellement espérer comme vous dites, parce que si
j'essayais, je le sais, je n'espérerais plus rien du tout pour moi.
J'attends. Et tout en attendant je fais attention de ne tuer ⁴⁵
personne, ni de chien, parce que ce sont là choses trop séri-
euses et qui risqueraient de²⁷⁰ me faire devenir méchante²⁷¹
pour toute ma vie. Mais, Monsieur, parlons encore un peu de
vous qui voyagez et voyagez et qui êtes si seul.

— Je voyage, Mademoiselle, oui, et je suis seul. ⁵⁰

— Un jour peut-être, je voyagerai.

— On ne peut voir qu'une seule chose à la fois, et le *to see one*
monde est bien grand, et l'on ne dispose pour le voir que de *has at one's*
soi, de ses deux yeux. C'est peu, et pourtant, vous voyez, tous *disposal*
les hommes voyagent. *only* ⁵⁵

— Quand même, si peu qu'on puisse voir à la fois, ce doit
être une bonne chose pour passer le temps, j'imagine.

— La meilleure, sans doute, ou du moins qui passe pour
telle.²⁷² D'être dans un train passe le temps complètement et
occupe autant que le sommeil. D'être dans un bateau encore ⁶⁰
davantage. On regarde le sillage et le temps passe tout seul.

— Pourtant, parfois il est si long à passer qu'il vous donne
le sentiment de vous sortir du corps.²⁷³ *to seep out of your own body*

— Vous pourriez peut-être faire un petit voyage, Mademoiselle, prendre huit jours²⁷⁴ de vacances. Il suffirait que ⁶⁵
vous le vouliez. D'ores et déjà, en attendant, je veux dire,
vous pourriez le faire. *Here and now*

— C'est vrai que c'est très long d'attendre. Je me suis inscrite à un parti politique, croyant, non que les choses avan-

²⁶⁹ **le temps qu'il faudra**   as long as necessary.
²⁷⁰ **risqueraient de**   would be liable to.
²⁷¹ **méchante**   *By hurting others, one hurts oneself first.*
²⁷² **qui passe pour telle** = *qui passe pour être la meilleure.*
²⁷³ **de vous sortir du corps**   to seep out of your own body.
²⁷⁴ **huit jours**   a week.

ceraient[275] pour moi, mais qu'elles me paraîtraient plus [70] courtes, mais c'est quand même très long.

— Mais précisément, du moment que vous êtes déjà inscrite à un parti politique, que vous allez à ce bal, que vous faites tout ce que vous jugez bon de faire pour en sortir un jour, en attendant que cela commence pour vous comme vous [75] le désirez, vous pourriez faire un petit voyage.

— Ce n'est pas que je veuille dire autre chose que ceci: que parfois, cela paraît très long.

— Il suffirait que vous sortiez un peu de cette humeur, Mademoiselle, et vous pourriez faire un petit voyage de huit [80] jours.

— Après le bal, le samedi, je vous l'ai dit, déjà, quelquefois je pleure. Comment forcer[276] un homme à vous vouloir? On ne peut pas forcer l'amour. Peut-être est-ce cette humeur dont vous parlez qui me rend si ingrate aux yeux des hommes. [85] C'est une humeur de rancœur et comment pourrait-elle plaire?

— Je ne voulais dire de cette humeur que ceci, Mademoiselle, qu'elle vous empêche de prendre huit jours de vacances. Je ne vous conseillerai pas d'être comme moi et de trouver [90] superflu de trop espérer, non. Mais néanmoins, vous comprenez, du moment que l'on juge utile pour soi, par exemple, de laisser vivre cette femme le temps qu'il faudra et que l'on fait tout ce qu'on vous demande afin de ne pouvoir faire autrement que d'en sortir un jour, on pourrait par exemple, [95] en manière de compensation, prendre quelques jours de vacances et aller se promener. Même moi, je le fais, il me semble.

— Je comprends bien, Monsieur, mais que ferais-je, dites-moi, de ces vacances? Je ne saurais même pas m'en servir. Je [100] serais là à regarder des choses nouvelles sans en tirer aucun plaisir.

[275] **avanceraient**   would get better.
[276] **Comment forcer?**   How can one oblige?

— Il faut apprendre, Mademoiselle, même si c'est difficile. D'ores et déjà, en prévision de l'avenir, vous pourriez
apprendre cela. Cela s'apprend, cela, oui, de voir des choses   5
nouvelles.

— Mais, Monsieur, comment arriverais-je à apprendre le
plaisir aujourd'hui quand je suis exténuée de l'attendre pour
demain? Non, je n'aurais même pas la patience de regarder
quoi que ce soit de nouveau.   10

— N'en parlons plus, Mademoiselle. C'était une petite
chose sans importance que je vous suggérais.

— Ah! Monsieur, j'aimerais tant, si vous saviez!

— Quand un homme vous invite à danser, Mademoiselle,
pensez-vous tout de suite qu'il pourrait vous épouser?   15

— Eh oui, c'est ça. Je suis trop pratique, voyez-vous, tout
le mal vient de là. Comment faire autrement, cependant? Il
me semble que je ne pourrai aimer personne avant d'avoir
un commencement de liberté et ce commencement-là, seul
un homme peut me le donner.   20

— Et quand un homme ne vous invite pas à danser,
Mademoiselle, si je peux me permettre, pensez-vous aussi
qu'il pourrait vous épouser?

— J'y pense moins car c'est au bal, il me semble, dans le
mouvement et l'entraînement de la danse, que je crois qu'un   25
homme pourrait oublier le mieux qui je suis, ou, s'il l'ap-
prenait, qu'il pourrait en être moins repoussé qu'ailleurs. Je
danse bien, oui, et lorsque je danse, rien de ma condition ne
paraît. Je deviens comme tout le monde. Moi-même, j'oublie
qui je suis. Ah! parfois, je ne sais plus comment faire.   30

— Mais pendant le temps de la danse, y pensez-vous?

— Non, pendant la danse je ne pense à rien. C'est avant
ou après que j'y pense, mais pendant, c'est comme le sommeil.

— Tout arrive, Mademoiselle, tout. On croit que rien   35
n'arrivera jamais et puis voilà, ça arrive. Il n'y a pas un

homme, sur des milliards qu'il y en a,[277] à qui cela que vous attendez n'est pas arrivé.

— Je crains que vous ne vous trompiez sur ce que j'attends, Monsieur. [40]

— C'est-à-dire que je ne parle pas seulement de ce que vous savez que vous attendez, mais aussi de ce que vous ne savez pas que vous attendez. De quelque chose de moins immédiat[278] que vous attendez sans le savoir.

— Je vois, oui, ce que vous voulez dire. C'est vrai que je [45] n'y pense pas pour tout de suite. Mais, quand même, j'aimerais bien savoir comment cela vous arrive. Dites-le-moi, Monsieur, voulez-vous?

— Cela arrive comme le reste.

— Comme ce que je sais que j'attends? [50]

— Pareil. Comment vous dire ces choses que vous ignorez tant? Je crois que cela arrive soit tout d'un coup, soit si lentement que c'est à peine si l'on peut s'en apercevoir. Et quand ces choses sont là, sont arrivées, elles n'étonnent plus, on croit les avoir toujours eues. Un jour, vous vous réveillerez et ce [55] sera fait. Comme pour le fourneau à gaz, un jour vous vous réveillerez et vous ne saurez même plus comment il est arrivé jusqu'à vous.

— Mais vous, Monsieur, qui voyagez et voyagez toujours et qui offrez, si je comprends bien, si peu de prise aux événe- [60] ments?[279]

— Cela peut arriver partout, Mademoiselle, même au hasard des trains.[280] La seule différence entre ces événements et ceux que vous désirez vivre, c'est qu'ils sont sans lendemain,[281] qu'on ne peut rien en faire. [65]

— Hélas! Monsieur, de vivre tout le temps des choses

---

[277] **sur des milliards qu'il y en a**   among the billions of men who exist.
[278] **de quelque chose de moins immédiat**   *Qu'est-ce que c'est?*
[279] **vous . . . qui offrez . . . si peu de prise aux événements**   you . . . who do not let events have a hold on you.
[280] **même au hasard des trains**   by mere fluke even in trains.
[281] **ils sont sans lendemain**   they have no future.

sans lendemain comme vous le faites, comme cela doit être triste à la longue! Je vois que vous aussi, quelquefois, vous devez pleurer.

— Mais non, c'est comme pour le reste, on s'y habitue. Et [70] pleurer, ma foi, cela arrive à tout le monde au moins une fois, à chacun des milliards d'hommes qu'il y a sur la terre. Cela ne prouve rien en soi. Puis je dois dire qu'un rien me *trifle* console. J'ai beaucoup de plaisir à me réveiller le matin. Quand je me rase, je chante, et cela souvent. [75]

— Oh! Monsieur, je ne crois pas, pour parler comme vous, que chanter prouve quoi que ce soit.

— Mais, Mademoiselle, j'ai du plaisir à vivre;[282] là-dessus, il ne me semble pas que l'on puisse se tromper, personne, je veux dire. [80]

— Je ne sais pas ce qu'il en est, Monsieur, c'est pourquoi sans doute je vous comprends si mal.

— Mademoiselle, quel que soit votre malheur, je dis pour simplifier,[283] excusez-moi d'insister comme ça, vous devriez, si j'ose me permettre, faire preuve[284] d'un peu plus de bonne [85] volonté. *Show*

— Mais, Monsieur, je ne peux plus attendre et j'attends. Et cette vieille, je ne peux pas la nettoyer et je la nettoie. Je le fais tout en ne pouvant pas le faire,[285] alors?

— Par bonne volonté j'entends que vous pourriez peut- [90] être la nettoyer comme autre chose, une casserole, par ex-emple.

— Non. Ça aussi, je l'ai essayé, mais ça ne se peut pas. Cela sourit et cela sent mauvais, cela est vivant.

— Hélas, que faire? [95]

— Parfois je ne sais plus. J'avais seize ans quand ça a com-mencé. Je n'y ai pas pris garde au début et puis, maintenant,

[282] **j'ai du plaisir à vivre** *Pourquoi insiste-t-il ainsi?*
[283] **je dis pour simplifier** I use this word to simplify (*the conversation*).
[284] **faire preuve** show.
[285] **je le fais . . . faire** I cannot do it and yet I do it.

voilà que j'ai vingt et un ans et que rien ne m'est arrivé, rien, et voilà qu'il y a en supplément cette vieille grand-mère qui n'en finira pas de mourir, cependant que personne en-[100] core ne m'a demandé d'être sa femme. Parfois je me demande si je ne rêve pas, si je n'invente pas tant de difficultés.

— Mademoiselle, vous pourriez peut-être changer de famille, en choisir une où il n'y aurait pas de gens si vieux, où il y aurait des avantages, je veux dire des avantages rela- [5] tifs, bien sûr.

— Non, toujours elle[286] me traiterait différemment d'elle-même. Et puis, changer dans ce métier-là ne veut rien dire du tout, puisque ce qu'il faudrait c'est que cela n'existe pas. S'il m'arrivait de tomber sur une famille comme vous dites, [10] je ne la supporterais pas davantage. Et puis, à force de changer, de changer, sans changer du tout, finirait bien par me faire croire,[287] je ne sais pas, moi, à la fatalité, et je pourrais en venir à cette idée que ce n'est pas la peine d'insister. Non, il faut que j'en reste là même où j'en suis, jusqu'au [15] moment où je partirai — je le crois parfois, je ne saurais vous dire à quel point, autant que je sais que je suis là.

— Alors, tout en restant là, ce petit voyage, vous pourriez le faire, Mademoiselle, je crois que vous le pourriez.

— Peut-être, oui, le voyage, je pourrais essayer. [20]

— Oui, vous pourriez.

— Mais, d'après ce que vous disiez, cette ville doit être tellement loin, Monsieur, tellement.

— J'y suis allé par petites étapes, j'ai mis quinze jours pour l'atteindre tout en m'arrêtant une journée par-ci, une [25] journée par-là. Mais quelqu'un qui en aurait les moyens pourrait y aller en une nuit par le train.

— Une nuit et l'on y est?

— Oui. Déjà, là-bas, c'est le plein été. Mais je ne vous dis

---

[286] elle = *la famille.*
[287] à force de changer . . . croire = *à force de changer, le fait de changer . . . finirait bien par me faire croire.*

pas qu'à quelqu'un d'autre elle pourrait paraître aussi belle 30
qu'à moi, non. Quelqu'un d'autre pourrait même ne pas la
trouver à son goût. Moi, je ne l'ai sans doute pas vue comme
elle doit être pour les autres qui n'y rencontreraient rien
d'autre qu'elle-même.

— Mais, si l'on est avertie de la chance que quelqu'un a 35
rencontrée dans cette ville, je pense qu'on ne doit pas la voir
tout à fait avec les mêmes yeux. On parle, n'est-ce pas, Monsieur?

— Oui, Mademoiselle.»

Ils se turent. Le soleil insensiblement baissa. Et du même 40
coup, le souvenir de l'hiver revint planer sur la ville. Ce fut
la jeune fille qui recommença de parler.

«Je veux dire, reprit-elle, qu'il doit rester quelque chose
de cette chance dans l'air qu'on y respire. Vous ne croyez pas,
Monsieur?   45

— Je ne le sais pas.

— Je voulais vous demander ceci, Monsieur: dans les
trains, lorsque cela vous arrive, pouvez-vous me le dire?

— Rien, Mademoiselle, rien. Cela m'arrive, c'est tout.
Peu de gens s'accommoderaient d'un voyageur de commerce 50
de mon rang, vous savez.

— Monsieur, je suis bonne à tout faire[288] et j'ai de l'espoir.
Il ne faut pas parler comme ça.

— Je m'excuse, Mademoiselle, je m'explique mal. Vous,
vous changerez; moi, je ne le crois pas, je ne le crois plus. 55
Et, que voulez-vous, il n'y a rien à faire, même si je ne l'ai
pas tout à fait voulu, je ne peux pas oublier ce voyageur de
commerce que je suis. A vingt ans je mettais des shorts blancs
et je jouais au tennis. C'est ainsi que les choses commencent,
n'importe comment. On ne le sait pas assez. Et puis le temps 60
passe et l'on trouve qu'il y a peu de solutions dans la vie, et
c'est ainsi que les choses s'installent, et puis un beau jour

---

[288] **bonne à tout faire**   maid of all work. *She does all the house work,
cooks, shops, takes care of the children, etc.*

elles le sont tellement[289] que la seule idée de les changer
étonne.

— Ça doit être un moment terrible que celui-là.   65

— Non, il passe inaperçu, comme passe le temps. Mademoiselle, il ne faut pas vous attrister. Je ne me plains pas de
ma vie, je n'y pense pas, un rien m'en distrait, à vrai dire.

— Pourtant on dirait bien que vous ne dites pas tout de
cette vie, Monsieur.   70

— Mademoiselle, je vous assure, je ne suis pas un homme
à plaindre.

— Je sais aussi que la vie est terrible, allez, autant que je
sais qu'elle est bonne.»

Un silence s'établit une nouvelle fois entre l'homme et la   75
jeune fille. Le soleil baissa un peu plus encore.

«Bien que je n'aie pu prendre le train que par petites
étapes, reprit l'homme, je ne crois pas qu'il soit cher.

— Des frais, j'en ai peu, à vrai dire, reprit la jeune fille,
en gros, ce sont ceux du bal. Non, vous voyez, même si le   80
train était cher, je pourrais, si je le voulais, faire ce voyage.
Mais, encore une fois, où que je sois[290] j'ai bien peur d'avoir
le sentiment de perdre mon temps. Que fais-tu là, me dirais-
je, au lieu d'être à ce bal? ta place est là-bas et pas ailleurs
pour le moment. Où que je sois, j'y penserais. Au fait, c'est   85
dans le quatorzième[291] si vous voulez savoir.[292] Il y a beaucoup de militaires et ceux-là ne pensent pas au mariage, mal-
heureusement, mais enfin, il y en a quelques autres aussi, on
ne sait jamais. Oui, c'est à la Croix-Nivert, ça s'appelle le bal
de la Croix-Nivert.   90

---

[289] **elles le sont tellement** = *elles sont tellement installées.*
[290] **où que je sois**   wherever I may be.
[291] **le quatorzième** = *le quatorzième arrondissement.   A district that lies
in the south of Paris, roughly between Montparnasse and the Cité
Universitaire, where many foreign and French students live. The dance
hall is a rather popular place where maids, soldiers, semiskilled workers
meet.*
[292] **si vous voulez savoir**   *A-t-il demandé à savoir?*

— Je vous remercie, Mademoiselle. Mais, vous savez, là-bas, il y a aussi des bals où vous pourriez aller, on ne sait jamais, si vous décidiez de faire ce voyage. Personne ne vous y connaîtrait.

— C'est dans le jardin qu'ils sont,[293] n'est-ce pas?   95

— Oui, c'est dans le jardin, en plein air. Le samedi, ils durent toute la nuit.

— Je vois. Mais alors il faudrait que je mente sur ce que je suis. Je n'y suis pour rien,[294] me direz-vous, mais c'est tout comme si j'avais une faute à cacher, que cet état.[295]   100

— Mais, puisque vous avez un tel désir d'en finir avec lui, ce serait mentir à demi que de le taire.[296]

— Il me semble que je pourrais mentir seulement sur quelque chose dont je serais responsable mais pas autrement. Et puis, c'est bien curieux mais c'est un peu comme si je   5 m'étais fixé ce bal-là de la Croix-Nivert plutôt qu'un autre. C'est un petit bal, et qui convient à mon état et à ce que je veux en faire. Partout ailleurs, je me sentirais un peu déplacée, étrangère. Si vous y veniez, nous pourrions faire une danse ou deux, Monsieur, si vous le voulez bien,[297] en atten-   10 dant que d'autres m'invitent. Je danse bien. Et sans jamais avoir appris.

— Moi aussi, Mademoiselle.

— C'est curieux, vous ne trouvez pas, Monsieur? Pourquoi dansons-nous bien, nous? Nous plutôt que d'autres?   15

— Nous plutôt que d'autres qui dansent si mal, vous voulez dire?

— Oui. J'en connais. Ah! si vous les voyiez! Ils ne savent pas du tout, c'est comme du chinois pour eux... ah! ah!

— Ah! Mademoiselle, vous riez.   20

— Mais comment s'empêcher? Les gens qui dansent mal

293 **C'est dans le jardin qu'ils sont**   *Que représente* **ils?**
294 **Je n'y suis pour rien**   That's not my fault.
295 **que cet état** = *cet état.*
296 **ce serait mentir ... taire**   to conceal it would only be a half-lie.
297 **si vous le voulez bien**   if you feel like it.

me font toujours rire. Ils essaient, ils s'appliquent, et rien à
faire, [298] ils n'y arrivent pas.

— Ce doit être une chose qui ne peut tout à fait s'apprendre, voyez-vous, c'est pour ça. Ceux que vous connaissez, 25
ils sautillent ou ils se traînent?

— Elle sautille, et lui se traîne, ce qui fait qu'ensemble...
Ah!... je ne saurais vous les décrire. Ce n'est pas leur faute,
me direz-vous...

— Non, ce n'est pas leur faute. Mais on a comme le senti- 30
ment que c'est un peu juste qu'ils dansent si mal.

— Mais peut-être se trompe-t-on.

— Peut-être, oui, mais enfin ce n'est pas si grave de danser
mal ou bien.

— Non, ce n'est pas si grave, Monsieur, mais pourtant, 35
voyez, c'est comme si nous avions une petite force cachée en
nous, oh! rien de bien important bien sûr... Vous ne trouvez
pas?

— Mais ils pourraient tout aussi bien danser parfaitement, Mademoiselle.   40

— Oui, Monsieur, bien sûr, mais alors il y aurait autre
chose, je ne sais quoi, qui nous serait réservé à nous seuls, je
ne sais pas quoi, mais qu'ils n'auraient pas.[299]

— Je ne sais pas non plus, Mademoiselle, mais je le crois
aussi.   45

— Monsieur, je vous l'avoue, j'ai beaucoup de plaisir à
danser. C'est peut-être la seule chose que je fais maintenant
que je désirerais continuer à faire toute ma vie.

— Moi aussi, Mademoiselle. Voyez, on aime danser dans
tous les cas, même dans le nôtre. Peut-être ne danserions-nous 50
pas aussi bien si nous n'y prenions pas un tel plaisir.

— Mais peut-être ne savons-nous pas à quel point cela
nous fait plaisir, qui sait?

— Quelle importance, Mademoiselle? Continuons donc
à ne pas le savoir si cela nous arrange.   55

---

[298] **rien à faire**   nothing to be done.
[299] **mais qu'ils n'auraient pas**   *Pourquoi ce désir?*

— Mais hélas! Monsieur, quand le bal est fini, je me souviens. C'est le lundi. Je lui dis «vieille salope» tout en la lavant. Pourtant je ne crois pas être méchante, mais, bien sûr, comme je n'ai personne pour me le dire, je ne peux me fier qu'à moi. Quand je lui dis «salope» elle me sourit. 60

— Je me permets de vous le dire, Mademoiselle, vous ne l'êtes pas.[300]

— Mais quand je pense à eux, c'est tellement en mal, si vous saviez, tout comme s'ils y étaient pour quelque chose. J'ai beau me raisonner, je ne peux pas y penser autrement. 65

— Ne prenez pas garde à ces pensées-là. Vous ne l'êtes pas.

— Vous croyez vraiment?

— Je le crois tout à fait. Un jour vous serez très généreuse de votre temps et de vous-même.

— Vous, vous êtes bon, Monsieur. 70

— Mademoiselle, ce n'est pas par bonté que je vous le dis.

— Mais vous, Monsieur, vous, que vous arrive-t-il?

— Rien, Mademoiselle, et je ne suis plus tout à fait jeune comme vous pouvez le voir.

— Mais à vous[301] qui avez pensé à vous tuer, disiez-vous?[302] 75

— Oh, c'était seulement la paresse de me nourrir encore, rien de bien sérieux. Non, rien.

— Monsieur, ce n'est pas possible, il vous arrive quelque chose ou alors c'est que vous voulez qu'il ne vous arrive rien.

— Il ne m'arrive rien en dehors de ce qui arrive à chacun 80 chaque jour.

— Dans cette ville, Monsieur, je m'excuse?

— Je n'ai plus été seul. Puis de nouveau, je me suis retrouvé seul. C'était un hasard, je crois bien.

— Non, lorsque quelqu'un est comme vous, sans plus 85 d'espoir,[303] c'est qu'il lui est arrivé quelque chose, ce n'est pas naturel.

---

[300] **Vous ne l'êtes pas** = *Vous n'êtes pas méchante.*
[301] **à vous**   *See her last question:* **que vous arrive-t-il . . . à vous?**
[302] **disiez-vous**   so you said.
[303] **sans plus d'espoir**   without anymore hope.

— Vous l'apprendrez plus tard, Mademoiselle. Il y a des gens comme ça, qui ont tellement de plaisir à vivre qu'ils peuvent se passer d'espérer. Je me rase en chantant, tous les 90 matins, que voulez-vous de plus?

— Mais après être allé dans cette ville, avez-vous été malheureux, Monsieur?

— Oui.

— Et, cette fois-là, vous n'avez pas pensé à ne pas sortir 95 de votre chambre?

— Non, cette fois-là, non. Parce que je savais qu'on peut quelquefois ne plus être seul, même par hasard.

— Monsieur, dites-moi ce que vous faites en dehors du matin.   100

— Je vends mes objets, puis je mange, puis je voyage, puis je lis les journaux. Les journaux me distraient à un point extraordinaire, je lis tout, y compris les réclames. Quand j'ai fini un journal, il faut que je me souvienne, je ne sais plus très bien qui je suis, tellement je reste absorbé.   5

— Mais je le disais encore en ce sens aussi: que faites-vous en dehors de ce que vous faites, en dehors du matin, de la vente de vos objets, des trains, de manger, de dormir, de lire les journaux, que faites-vous qui ne se voie pas faire, je veux dire qu'on n'a pas l'air de faire et que l'on fait cependant?   10

— Je vous comprends, oui... Mais je crois bien qu'en dehors de ce qui se voit faire, je ne sais pas ce que je fais. Quelquefois, je cherche un peu à le savoir, je ne dis pas, mais cela ne doit pas être suffisant, je ne dois pas chercher assez, et il pourrait bien arriver que je ne le sache jamais. Oh, vous 15 savez, je crois que c'est une chose bien courante que d'avancer ainsi dans la vie, sans savoir du tout pourquoi.

— Mais il me semble qu'on pourrait essayer de le savoir un peu plus que vous ne le faites, Monsieur.

— Je tiens à un fil,[304] vous comprenez, je tiens à moi-même 20 par un fil, alors la vie m'est plus facile qu'à vous. Tout est

---

[304] **Je tiens à un fil**   I hold on to a thread.

là, au fond. Et je peux me passer de savoir certaines choses.»

Ils se turent une nouvelle fois. Mais la jeune fille reprit encore:

«Et puis, je m'excuse, Monsieur, mais je ne peux pas tout 25 à fait comprendre comment vous en êtes arrivé là, même à ce petit métier-là.[305]

— Je vous l'ai dit, petit à petit. Tous mes frères et sœurs ont réussi, ils savaient ce qu'ils voulaient. Moi, encore une fois, je ne le savais pas. Ils disent, eux aussi, qu'ils ne savent 30 pas comment j'ai dégringolé ainsi dans la vie. *range doux*

— C'est un drôle de mot,[306] Monsieur, découragé semblerait peut-être plus juste. Mais, moi non plus, je ne comprends pas comment vous en êtes arrivé là.

— J'ai toujours été, à vrai dire, un peu distrait de la 35 réussite, je n'ai jamais bien compris ce que ce mot signifiait quant à moi; peut-être tout vient-il de là. Cependant, voyezvous, je ne trouve pas que ce soit un si petit métier que le mien.

— Je m'excuse d'avoir employé cette expression, mais il 40 m'a semblé que je pouvais me le permettre, mon métier à moi n'en étant même pas un. Ce n'était que pour vous encourager à parler que je l'ai dite, pour vous faire comprendre que je vous trouvais comme un mystère[307] et non pour vous faire du tort. 45

— J'ai bien compris, je vous assure. C'est moi qui suis navré d'avoir relevé cette expression. Je sais bien qu'il y a beaucoup de gens de par le monde qui sont capables d'apprécier mon métier à sa juste valeur et qui ne le méprisent pas. Je n'ai rien pris mal, à vrai dire je parlais distraitement. 50 Je m'ennuie toujours à parler de moi dans le passé.»

[305] **comment vous en êtes . . . métier-là** how you came to that point, even to that little job you have.

[306] **un drôle de mot** an odd word.

[307] **que je vous trouvais comme un mystère** = *que je trouvais une sorte de mystère en vous.*

Ils se turent encore une fois. Cette fois, le souvenir de l'hiver revint tout à fait. Le soleil ne réapparut plus. Il en était à ce point de sa course que la masse de la ville, désormais, le cachait. La jeune fille se taisait. L'homme recom- 55
mença de lui parler.

«Je voulais vous dire, Mademoiselle, fit-il, je ne voudrais pas que vous croyiez un seul instant que je vous ai conseillé quoi que ce soit. Même pour cette vieille femme, c'était une façon de parler. A force d'entendre les gens... 60

— Oh! Monsieur, ne parlons plus de ça.

— Non, n'en parlons plus, non. Simplement je vous disais qu'à force de comprendre les gens, d'essayer tout au moins de se mettre à leur place de chercher ce qui pourrait les soulager de tant attendre, on fait des suppositions, des hypothèses, 65
mais que, de là à donner des conseils, il y a un pas énorme et je m'en voudrais de l'avoir franchi sans m'en rendre compte...

— Monsieur, ne parlons plus de moi.

— Non, Mademoiselle. 70

— Je voudrais encore vous demander quelque chose, Monsieur. Après cette ville, dites-moi encore... »

L'homme se tut. La jeune fille n'insista pas. Puis, alors qu'elle n'avait plus l'air d'attendre de réponse, il lui répondit:

«Je vous l'ai dit, fit-il, après cette ville, j'ai été mal- 75
heureux.

— Malheureux comment, Monsieur?

— Autant, je crois, qu'il est possible de l'être. J'ai cru que je ne l'avais jamais été auparavant.

— Puis cela s'est passé? 80

— Oui, cela s'est passé.

— Vous n'y aviez jamais été seul, jamais?

— Jamais.

— Ni le jour, ni la nuit?

— Ni le jour, ni la nuit, jamais. Ça a duré huit jours. 85

— Et, après, vous vous êtes retrouvé tout à fait seul, tout à fait?

— Oui. Et depuis je le suis.

— C'est la fatigue qui vous a fait dormir tout le jour comme vous disiez, votre valise à vos côtés?

— Non, c'est que j'étais malheureux.

— Oui, vous avez dit que vous aviez été malheureux autant qu'il est possible de l'être. Et vous le croyez encore?

— Oui.»

Ce fut la jeune fille qui se tut.

«Ne pleurez pas, Mademoiselle, je vous en prie, dit l'homme en souriant.

— Je ne peux pas m'en empêcher.

— Il y a des choses comme ça qu'on ne peut pas éviter, que personne ne peut éviter.

— Oh! ce n'est pas ça, Monsieur, ces choses ne me font pas peur.

— Et c'est ce que vous désirez aussi.

— Oui, je le désire.

— Et vous avez raison car il n'y en a aucune qui soit autant désirable de vivre que celle-là qui fait tant souffrir. Ne pleurez plus.

— Je ne pleure plus.

— Vous allez voir, Mademoiselle, d'ici l'été, vous ouvrirez cette porte pour toujours.

— Quelquefois, voyez, ça m'est un peu égal, Monsieur.

— Mais vous allez voir, vous allez voir, ça va vous arriver très vite.

— Il me semble que vous auriez dû rester dans cette ville, Monsieur, que vous auriez dû essayer coûte que coûte.

— J'y suis resté le plus que je pouvais.

— Non, vous n'avez pas dû faire tout ce qu'il fallait pour essayer d'y rester, j'en suis sûre, voyez-vous.

— J'ai fait tout ce que je croyais qu'il fallait faire, tout,

pour essayer d'y rester. Mais il se peut que je m'y sois mal 20
pris. N'y pensez plus, Mademoiselle. Vous allez voir, vous
allez voir, d'ici l'été,[308] pour vous, ce sera fait.

— Peut-être, oui, qui sait? Mais je me demande parfois
si ça en vaut la peine.

— Ça en vaut la peine. Et, comme vous le disiez, puis- 25
qu'on est là, on n'a pas demandé à l'être, mais, puisqu'on y
est, il faut le faire. Et il n'y a rien d'autre à faire que ça. Et
vous le ferez. Cette porte, d'ici l'été, vous l'ouvrirez.

— Parfois, je crois que je ne l'ouvrirai jamais, qu'une fois
que je serai prête à le faire, je reculerai.   30

— Non, vous le ferez.

— Si vous dites ça, Monsieur, c'est que vous croyez alors
que les moyens que j'ai choisis sont les seuls bons pour sortir
de là où je suis? Pour devenir enfin quelque chose?

— Je le crois, oui, je crois que ce sont ceux-là qui vous 35
conviennent le mieux.

— Si vous dites ça, voyez-vous, c'est que vous croyez qu'il
y en a[309] qui pourraient choisir d'autres moyens que ceux-là,
qu'il y en a[310] d'autres que ceux que j'ai choisis.

— Sans doute y en a-t-il d'autres, oui, mais sans doute 40
vous conviendraient-ils moins bien.

— C'est bien vrai, n'est-ce pas, Monsieur?

— Je le crois, Mademoiselle, mais, bien sûr, ni moi ni
personne ne pourrait vous le dire en toute certitude.

— Vous disiez être devenu raisonnable, Monsieur, à 45
force de voyager et de voir des choses. C'est pourquoi je vous
le demande.

— Sans doute ne le suis-je pas tellement en ce qui concerne l'espoir,[311] Mademoiselle; je le serais plutôt, si je le

---

[308] **d'ici l'été**   until summer comes.
[309] **qu'il y en a** = *qu'il y a des gens.*
[310] **il y en a d'autres** = *d'autres moyens.*
[311] **en ce qui concerne l'espoir**   when it comes to hope.

suis, dans les petites choses de tous les jours, plutôt dans les 50
petites difficultés que dans les grandes. Néanmoins, je vous
le répète, même si je ne suis pas tout à fait, tout à fait sûr
des moyens que vous employez, je suis tout à fait sûr que
cette porte, dès cet été, vous l'ouvrirez.

— Je vous remercie quand même, Monsieur. Mais, encore 55
une fois, vous, vous?

— Le printemps arrive, et le beau temps. Je m'en vais
repartir.»[312]   last time-[oreshadow]

Ils se turent une dernière fois. Et une dernière fois, ce
fut la jeune fille qui reprit.   60

«Monsieur, qu'est-ce qui vous a fait vous relever et recommencer à marcher après vous être couché dans le bois?

— Je ne sais pas, sans doute qu'il fallait bien en arriver
là.[313]

— Vous avez dit tout à l'heure que c'était parce que 65
désormais vous saviez que l'on pouvait parfois, même par
hasard, cesser d'être seul.

— Non, cela, c'est après, que je l'ai su,[314] quelques jours
après. Sur le moment, non, je ne savais plus rien.

— Ainsi, Monsieur, voyez, nous sommes bien différents 70
quand même. Moi, je crois que j'aurais refusé de me relever.

— Mais non, Mademoiselle, non, refusé à qui, à quoi?

— A rien. J'aurais refusé, c'est tout.

— Vous vous trompez. Vous auriez fait comme moi. Il a
fait froid. J'ai eu froid, je me suis relevé.[315]   75

— Nous sommes différents, nous le sommes.

— Nous le sommes sans doute, oui, sur la façon dont
nous prenons nos ennuis.

— Non, nous devons être encore plus différents que ça.

---

[312] Je m'en vais repartir = *Je vais repartir.*
[313] il fallait bien en arriver là   it had to be done sooner or later.
[314] cela, c'est après, que je l'ai su   that I only realized later.
[315] J'ai eu froid, je me suis relevé   *Pourquoi tant de concision?*

— Je ne crois pas. Je ne crois pas que nous le soyons plus [80]
que les uns le sont des autres[316] en général.

— Peut-être que je me trompe, en effet.

— Puis nous nous comprenons, Mademoiselle, ou tout
au moins nous essayons. Et nous aimons danser aussi. C'est
à la Croix-Nivert, disiez-vous?   [85]

— Oui, Monsieur. C'est un bal connu. Beaucoup de gens
comme nous le fréquentent.»

[316] **Je ne crois pas . . . des autres**   I don't think we are more different
from each other than most people are from one another.

III

III

L'ENFANT arriva tranquillement du fond du square et se planta devant la jeune fille.

«Je suis fatigué», déclara-t-il.

L'homme et la jeune fille regardèrent autour d'eux. L'air était moins doré que tout à l'heure, effectivement. C'était le soir. 5

«C'est vrai qu'il est tard», dit la jeune fille.

L'homme, cette fois, ne fit aucune remarque. La jeune fille nettoya les mains de l'enfant, ramassa ses jouets et les mit dans le sac. Toutefois, elle ne se leva pas encore du 10 banc. L'enfant s'assit à ses pieds et attendit, tout à coup lassé de jouer.

«Le temps paraît plus court quand on bavarde, dit la jeune fille.

— Puis très lent tout à coup, après. Oui, Mademoiselle. 15

— C'est vrai, Monsieur, c'est comme un autre temps. Mais cela fait du bien de parler.

— Cela fait du bien, oui, Mademoiselle, c'est après que c'est un peu ennuyeux, après qu'on ait parlé. Le temps devient trop lent. Peut-être qu'on ne devrait jamais 20 parler.

— Peut-être, dit la jeune fille après un temps.

— A cause précisément de cette lenteur, après, c'est ce que je veux dire, Mademoiselle.

93

— Et de ce silence aussi, peut-être, dans lequel nous 25
allons rentrer tous les deux.

— Oui, c'est vrai, que nous allons rentrer dans le silence
tous les deux. Déjà c'est comme si c'était fait.

— Plus personne ce soir ne m'adressera plus la parole,
Monsieur. Et j'irai me coucher ainsi, toujours dans le silence. 30
Et j'ai vingt ans. Qu'ai-je fait au monde, pour qu'il en soit
ainsi?[317]

— Rien, Mademoiselle, ne cherchez pas de ce côté-là.[318]
Cherchez plutôt ce que vous allez lui faire.[319] Oui, peut-être
qu'on ne devrait jamais parler. Dès qu'on le fait, c'est comme 35
si on retrouvait une délicieuse habitude qu'on aurait délais-
sée. Même si, cette habitude, on ne l'a jamais eue.

— C'est vrai, oui, comme si l'on savait ce qu'il en est du
plaisir de parler. Ce doit être une chose bien naturelle pour
être aussi forte. 40

— D'entendre que l'on s'adresse à vous est une chose
qui n'a pas moins de naturel et de force aussi, Mademoiselle.

— Sans doute, oui.

— Vous vous en rendrez compte un peu plus tard, Mademoiselle. Je l'espère pour vous. 45

— J'ai beaucoup parlé, Monsieur, et j'en suis confuse.[320]

— Oh! Mademoiselle, ce serait là la chose du monde dont
il vous faudrait le moins vous excuser s'il y avait lieu de le
faire.[321]

— Je vous remercie, Monsieur.» 50

La jeune fille se leva du banc. L'enfant se leva et prit sa
main. L'homme resta assis.

«Il fait déjà plus frais, dit la jeune fille.

---

[317] **pour qu'il en soit ainsi**   that things turn out as they are.

[318] **ne cherchez pas de ce côté-là**   don't look that way.

[319] **Cherchez . . . faire**   Better look for what you're going to do to it
(*the world*).

[320] **confuse**   ashamed.

[321] **ce serait là . . . de le faire**   it would be the last thing in the world
to apologize for, if there were any reason to do so.

— On a cette illusion dans la journée, Mademoiselle, mais c'est vrai que ce n'est pas encore l'été.   55

— C'est vrai qu'on l'oublie, oui. C'est un peu comme de retomber dans le silence après qu'on ait parlé.

— C'est la même chose, en effet, Mademoiselle.»

L'enfant tira la jeune fille vers lui.

«Je suis fatigué», répéta-t-il.   60

Le jeune fille n'eut pas l'air d'avoir entendu l'enfant.

«Il faut quand même que je rentre», dit-elle enfin.

L'homme ne bougea pas. Il avait les yeux vagues[322] posés sur l'enfant.

«Vous, vous ne partez pas, Monsieur? demanda la jeune 65 fille.

— Non, Mademoiselle, non, je resterai là jusqu'à la fermeture et puis je m'en irai à ce moment-là.

— Vous n'avez rien à faire ce soir, Monsieur?

— Non, rien de précis?[323]   70

— Moi, je suis obligée de rentrer», dit la jeune fille après une hésitation.

L'homme se souleva un peu du banc et très légèrement il rougit.

«Ne pourriez-vous pas, par exemple, Mademoiselle, pour 75 une fois, rentrer un peu... plus tard?»

La jeune fille hésita un tout petit moment, puis elle montra l'enfant.

«Je le regrette,[324] Monsieur, mais je ne le peux pas.

— Je le disais dans ce sens que ça a l'air de vous faire du 80 bien, Mademoiselle, à vous particulièrement,[325] de causer un peu. Seulement dans ce sens.

— Oh! je l'ai compris ainsi, Monsieur, mais je ne peux pas. Mon heure habituelle est déjà dépassée.[326]

[322] **les yeux vagues**   a vacant stare.
[323] **rien de précis**   nothing special.
[324] **Je le regrette**   I wish I could.
[325] **à vous particulièrement**   *Pourquoi fait-il cette restriction?*
[326] **Mon heure ... dépassée**   I overstayed my regular time.

— Alors, Mademoiselle, au revoir. C'est le samedi, disiez- 85
vous, que vous allez à ce bal de la Croix-Nivert?

— Oui, Monsieur, tous les samedis. Si vous venez, on
pourrait faire quelques danses ensemble, si vous le voulez.

— Peut-être, oui, Mademoiselle, si vous le permettez.

— Pour le plaisir, quoi,[327] je veux dire, Monsieur. 90

— C'est comme cela que je l'entendais, Mademoiselle.
Alors peut-être à bientôt, peut-être à samedi,[328] on ne sait
jamais.

— Peut-être, Monsieur. Au revoir, Monsieur.

— Au revoir, Mademoiselle.» 95

La jeune fille fit deux pas et se retourna:

«Je voulais vous dire, Monsieur... ne pourriez-vous pas
faire un petit tour au lieu de rester là, comme ça, à attendre
la fermeture?

— Je vous remercie, Mademoiselle, mais non, je préfère[100]
rester là jusqu'à la fermeture.

— Mais un petit tour pour rien, je veux dire, Monsieur,
pour vous promener?

— Non, Mademoiselle, je préfère rester. Un petit tour ne
me dirait rien.[329] 5

— Il va faire de plus en plus frais, Monsieur... et si
j'insiste tant c'est que... vous ne savez peut-être pas comment
c'est lorsque les squares ferment, comme ça peut être triste...

— Je le sais, Mademoiselle, mais je préfère quand même
rester. 10

— Faites-vous toujours comme cela, Monsieur, attendez-
vous toujours la fermeture des squares?

— Non, Mademoiselle. Je suis comme vous, je n'aime pas
ce moment-là en général, mais aujourd'hui je tiens à l'attendre. 15

---

[327] **Pour le plaisir, quoi**   For the fun of it only. *Pourquoi se reprend-
elle ainsi?*
[328] **à bientôt . . . à samedi**   till soon . . . till Saturday.
[329] **ne me dirait rien**   does not appeal to me.

— Peut-être que vous avez vos raisons, au fond, dit rêveusement la jeune fille.

— Je suis un lâche, Mademoiselle, c'est pourquoi.»

La jeune fille se rapprocha d'un pas.

«Oh! Monsieur, dit-elle, si vous le dites, c'est à cause de 20
moi, de mes paroles à moi, j'en suis sûre.

— Non, Mademoiselle, si je le dis, c'est que cette heure
m'incite toujours à reconnaître et à dire la vérité.

— Ne dites pas de choses pareilles, je vous en prie.

— Mais, Mademoiselle, [cette lâcheté ressortait de cha- 25
cune de mes paroles depuis que nous avons commencé à
parler.]

— Non, Monsieur, ce n'est pas la même chose que de
le dire ainsi dans un seul mot, ce n'est pas juste.»

L'homme sourit. 30

«Mais ce n'est pas une chose si grave, croyez-moi.

— Mais je ne comprends pas, Monsieur, comment la
fermeture d'un square vous fait vous découvrir lâche[330] tout
à coup?

—[Parce que je ne fais rien pour en éviter le... désespoir,] 35
Mademoiselle, bien au contraire.

— Mais où serait le courage, Monsieur, dans ce cas, de
faire un tour?

— De faire n'importe quoi pour l'éviter, voyez-vous, de
provoquer une diversion quelconque à ce désespoir. 40

— Monsieur, je vous en supplie, faites un petit tour pour
rien.

— Mais non, Mademoiselle, il en est ainsi de ma vie
entière.

— Mais pour une fois, Monsieur, pour une seule fois, 45
essayez.

— Non, Mademoiselle, moi, je ne veux pas commencer
à changer.

[330] **vous fait vous découvrir lâche** makes you find out that you are
a coward.

— Ah! Monsieur, je vois bien que j'ai trop parlé.

— C'est tout le contraire, Mademoiselle, c'est d'avoir eu [50]
le plaisir si vif de vous entendre qui me fait tellement sentir
comme je suis d'habitude, tout engourdi par ma lâcheté.
Mais celle-ci n'est ni plus ni moins grande qu'hier par exemple.

— Monsieur, je ne sais pas ce qu'il en est de la lâcheté, [55]
mais voilà que la vôtre me fait paraître mon courage un peu
honteux.

— Et moi, Mademoiselle, votre courage me fait paraître
ma lâcheté plus vive encore. C'est ça, parler.[331] *That's what you get from talking*

— Comme si, à vous voir,[332] Monsieur, le courage était [60]
un peu inutile, comme si l'on pouvait s'en passer, après tout.

— Nous faisons ce que nous pouvons, au fond, vous avec
votre courage, moi, avec ma lâcheté, c'est ça l'important.[333]

— Oui, Monsieur, sans doute, mais pourquoi la lâcheté
a-t-elle tant d'attrait et si peu le courage, vous ne trouvez [65]
pas?[334]

— Toujours la lâcheté,[335] Mademoiselle, mais c'est si
facile, si vous saviez!»

Le petit garçon tira la main de la jeune fille.

«Je suis fatigué», déclara-t-il encore. [70]

L'homme leva les yeux et parut s'inquiéter un peu.

«Aurez-vous des observations,[336] Mademoiselle?

— Inévitablement, Monsieur.

— Je suis désolé.

— Monsieur, ça n'a aucune importance, si vous saviez. [75]
C'est comme si on les faisait à une autre que moi.»

Ils attendirent encore quelques minutes sans rien se dire.
Beaucoup de gens partaient du square. Au fond des rues, le
ciel était rose.

[331] **C'est ça, parler**   That's what you get from talking.
[332] **à vous voir**   from seeing you.
[333] **c'est ça l'important**   that's what matters.
[334] **vous ne trouvez pas?**   don't you agree?
[335] **Toujours la lâcheté**   (*a beaucoup d'attraits*).
[336] **Aurez-vous des observations?**   Will you be scolded?

«C'est vrai, dit enfin la jeune fille — et sa voix aurait pu [80]
être celle du sommeil — qu'on fait ce que l'on peut, vous,
avec votre lâcheté, Monsieur, et moi, de mon côté, avec mon
courage.

— Nous mangeons quand même, Mademoiselle. Nous y
sommes arrivés. [85]

— Oui, c'est vrai, nous sommes arrivés à manger tous les
jours comme tout un chacun.[337] *like everyone else*

— Et de temps en temps nous trouvons à nous parler.

— Oui, même si cela fait souffrir.

— Tout, tout fait souffrir. Même de manger, parfois. [90]

— Vous voulez dire, de manger après qu'on ait eu très
faim très longtemps?

— C'est cela même,[338] oui.»

L'enfant se mit à geindre. La jeune fille le regarda comme
si elle venait de le découvrir. *whimper* [95]

«Il faut quand même que je parte, Monsieur», dit-
elle.

Elle se retourna une deuxième fois vers l'enfant.

«Pour une fois, lui dit-elle doucement, il faut être sage.»
Et elle se retourna vers l'homme. [100]

«Alors je vous dis au revoir, Monsieur.

— Au revoir, Mademoiselle. Peut-être donc à ce bal.

— Peut-être, oui, Monsieur. Ne savez-vous pas déjà si
vous y viendrez?»

L'homme fit un effort pour répondre. [5]

«Pas encore, non.

— Comme c'est curieux, Monsieur.

— Je suis si lâche, vraiment, Mademoiselle, si vous saviez.

— Ne faites pas dépendre de votre lâcheté que vous y
veniez ou non, Monsieur, je vous en supplie.» [10]

L'homme fit encore un effort pour répondre.

«Mademoiselle, c'est très difficile pour moi de savoir

---

[337] **comme tout un chacun**   like everybody else.
[338] **C'est cela même**   It's exactly so.

encore si j'irai ou non. Je ne peux pas, non, je ne peux pas encore[339] le savoir.

— Mais, n'y allez-vous pas en général de temps en temps, [15] Monsieur?

— J'y vais, oui, mais sans y connaître personne.»

La jeune fille sourit à son tour.

«Pour le plaisir, Monsieur, faites-le dépendre de votre plaisir. Et vous verrez comme je danse bien. [20]

— Si j'y allais, Mademoiselle, ce serait pour le plaisir, croyez-moi.»

La jeune fille sourit encore plus. ⌈Mais l'homme ne pouvait pas soutenir ce sourire-là.⌉

«Il m'avait paru comprendre[340] tout à l'heure, Monsieur, [25] que vous me faisiez le reproche d'accorder trop peu d'importance au plaisir dans la vie que je mène.

— C'est vrai, Mademoiselle, oui.

— Et qu'il fallait moins m'en méfier que je le faisais.

— Vous le connaissez si peu, Mademoiselle, si vous saviez! [30]

— J'ai comme l'impression[341] que vous le connaissez moins que vous pouvez le penser, je m'excuse, Monsieur. Je parle du plaisir de danser.

— Oui, de danser avec vous, Mademoiselle.»

L'enfant se mit à geindre de nouveau. [35]

«On s'en va, lui dit la jeune fille et — à l'adresse de l'homme[342] — je vous dis au revoir,[343] Monsieur, peut-être donc à ce samedi qui vient.[344]

— Peut-être, oui, Mademoiselle, au revoir.»

La jeune fille s'éloigna avec l'enfant, d'un pas rapide. [40] L'homme la regarda partir, la regarda le plus qu'il put. Elle ne se retourna pas. ⌈Et l'homme le prit comme un encouragement à aller à ce bal.⌉

---

[339] encore = *déjà*.

[340] **Il m'avait paru comprendre**   I thought I had understood.

[341] **J'ai comme l'impression**   I rather feel.

[342] **à l'adresse de l'homme**   to the man.

[343] **au revoir**   *Quels sont les deux sens que peut prendre ici cette expression?*

[344] **ce samedi qui vient**   this coming Saturday.

*S*ELECTIVE BIBLIOGRAPHY

Berger, Yves, "Marguerite Duras," in: Bernard Pingaud, *Ecrivains d'aujourd'hui 1940–1960,* Grasset, 1960.

Brée, Germaine, "A Door May Open: The Square by Marguerite Duras," *New York Times* (November 8, 1959).

Guicharnaud, Jacques, *Woman's Fate: Marguerite Duras,* Yale French Studies #27, 1961.

Ortega y Gasset, José, "Notes on the Novel," in: *Dehumanization of Art,* Princeton University Press, 1948.

Picon, Gaëtan, *Les Romans de Marguerite Duras,* Mercure de France, June 1958 (also in: *L'Usage de la lecture II,* Mercure de France, 1961).

EGALEMENT:

Dort, Bernard, *Tentative de Description,* Cahiers du Sud, April 1958.

Hell, Henri, "L'Univers romanesque de Marguerite Duras," in: Marguerite Duras, *Moderato cantabile,* Collection: Le Monde en 10/18, Union Générale d'Editions, Paris, 1958.

Hoog, Armand, *Today's Woman — Has She a Heart?,* Yale French Studies #27, 1961.

Vocabulary

Omitted from this vocabulary are approximately the first 2,000 words of the *Word Frequency Dictionary* (compiled by Helen S. Eaton, New York, Dover Publications, 1961) and most close cognates. Only the meanings found in the text are given.

abandonner to quit; ———— **la partie** to give up
abattoir *m.* slaughter house
abords *m. and pl.* borders
aboutir to lead (to)
absorbé(e) absorbed, engrossed
accablement *m.* depression
(s')accommoder (de) to adjust oneself (to), to put up (with)
accord *m.* agreement; **être d'**———— to agree
accorder to attach, to give
accueillant(e) friendly
accueillir to accept, to welcome
(s')acharner (sur) to persist (in)
(s')acheminer (vers) to move, to proceed (towards)
adoucir to make easier
(s')adresser (à) to talk (to)
adroitement skillfully
affections *f. and pl.* loving people
(s')agir (de) to have to do (with), to concern

ailleurs elsewhere; **d'**———— anyway, furthermore
aimablement in a friendly manner
air *m.* air; look; **en plein** ————, **de plein** ———— in the open air; **avoir l'**———— to seem, to look
(s')alléger to become lighter, easier
aller to go; **allez!** you bet! you know! you see! **comment ça va?** how are things? **s'en** ———— to go
alors que while, although
amabilité *f.* kindness; *pl.* signs of civility; **avoir des** ————s to be civil
améliorer to improve
amertume *f.* bitterness
amuser to entertain; **(s')**———— to have fun, to enjoy oneself
(s')angoisser to become filled with anguish

(s')apercevoir   to realize, to notice
(s')apeurer   to get frightened
apparemment   apparently
apparence *f.*   appearance; en
——— on the surface
appartenir   to belong; (s')———
to be one's own master
(s')appliquer   to concentrate
approcher   to get close; (s')———
to come over
arranger   to arrange; ça m'arrange
it suits me; (s')——— to manage
arriver   to come; il arrive   it happens; il m'arrive (de)   I happen
(to); ——— à   to manage (to),
to succeed (in)
(s')asphyxier   to suffocate
assassiner   to kill, to murder
assiette *f.*   plate
assis(e)   seated
(s')assoupir   to die out
assoupissement *m.*   drowsiness
assouvir   to appease, to satisfy
assuré(e)   guaranteed
attention *f.*   attention; faire
——— to be careful
attrait *m.*   appeal
attributions *f. and pl.*   sphere of
duties; il rentre dans mes ———
it is part of my duties
attrister   to make sad; (s')———
to feel sad
aubaine *f.*   godsend
autant   as much; d'———
equally; pour ——— on ac-
count of that; en faire ———
to do the same
(à l')avance   in advance
avancer   to get better
avenant(e)   pleasing
avenir *m.*   future
aventure *f.*   occurrence
averti(e)   well informed
avion *m.*   plane

bâiller   to yawn
baisser   to go down
bal *m.*   dance
balayer   to sweep away
bavarder   to chatter, to talk
beau (*f.* belle)   fine; avoir ———
no matter what, how, how many,
how much, how hard; j'ai beau
faire   try as I can
besoin *m.*   need, urge; avoir
——— to need; faire ses
——— to relieve oneself
bête   stupid, silly; *f.* animal
bien   quite, well, very; eh ———
well; ——— des   many; *m.*
goods, belongings; faire du
——— to do good
bien-fondé *m.*   appropriateness
bientôt   soon; à ——— till soon
billes *f. and pl.*   marbles
bon(ne)   kind, *f.* maid (servant)
bord *m.*   side; au ——— de la mer
at the seaside
(se) borner (à)   to restrict oneself
(to)
bout *m.*   end; au ——— de   at
the end of, after; jusqu'au
——— completely; venir à
——— (de)   to come to terms
(with)
(au) bras (de)   arm in arm (with)
brise *f.*   breeze
brouillard *m.*   fog
bruyant(e)   noisy

(au) cas (où)   in case
casserole *f.*   pot
causer   to talk, to chat
cependant   however, yet; ———
que   while
cerise *f.*   cherry
certains *m. and pl.*   some people
certitude *f.*   certainty
cesser   to stop, to come to an end

changer to change; —— de
to change; (se) —— to
change

chinois(e) Chinese

chose *f.* thing; autre ——
anything else, something

cœur *m.* heart; au —— de in
the middle of

comblé(e) overwhelmed

comme like, as, since

compliqué(e) intricate, compli-
cated

comporter to imply

compréhension *f.* understanding

comprendre to understand; y
compris even, including

compte *m.* account; pour mon
—— for my part, for myself;
sur notre —— about us; se
rendre —— to realize

compter to count; (se) ——
to be counted

comptoir *m.* bar

concerner to affect, to include, to
be related (to), to come to

condition *f.* circumstances, status;
à —— de provided that

confiance *f.* faith

confiture *f.* jam

confus(e) ashamed

constamment continually

(se) contenter (de) to be content,
satisfied (with)

contenu *m.* content

continuer to go on

contrarier to oppose

contredire to contradict

convenir to suit, to please

corvée *f.* toilsome chore

côté *m.* side, direction; à ——
(de) beside; à vos ——s by
your side; de mon —— for
my part

couchant *m.* place where the sun
sets, west

(se) coucher to set (the sun), to
lie down; aller —— to go to
bed

coup *m.* blow; après ——
afterwards; du même —— at
the same time; d'un seul ——
all of a sudden, all at once

courant(e) common

(au) cours (de) in the course of,
during

court(e) short; tout ——
merely, simply

coûter to cost; coûte que coûte
at all costs, by all means

craindre to fear, to be afraid

crainte *f.* fear; n'ayez ——
don't worry

croire to think, to believe

croyance *f.* belief, faith

cueillir to pick

danse *f.* dance; faire une ——
to have a dance

(se) débattre to fight, to struggle

déboucher to open

(se) décider (à) to bring oneself
(to)

décourager to discourage

décrié(e) despised

décrire to describe

dégringoler to come down

dehors outside; en —— be-
side, except, apart (from)

délaisser to abandon

(se) délasser to relax

demander to ask; je vous demande
pardon I am sorry; (se) ——
to wonder

démuni(e) unprovided

dénégation *f.* denial

dentifrice *m.* tooth paste

dépendant(e) (de) depending (on)

déplacé(e) out of place

déplaire to displease, to offend;

ça me déplaît I dislike; **(se)** ———— to be dissatisfied (with)

déposer to leave

(au) dépourvu off one's guard

désaccord *m.* disagreement; **être en** ———— to disagree

désespoir *m.* despair

désœuvré(e) idle

désolation *f.* sorrow

désolé(e) sorry

desservir to clear away

devoir *m.* duty

dire to say, to tell, to mention; to appeal; **à vrai** ———— to tell the truth, to be frank; **c'est-à** ———— I meant; **pour ainsi** ———— in a manner of speaking; **vouloir** ———— to mean

disposer (de) to have at one's disposal

distinguer to characterize, to mark

distraire to divert, to entertain, to distract

distrait(e) absent-minded, inattentive

docilement submissively

domicile *m.* permanent residence

dominer to overlook

dommage *m.* damage; **il est** ———— it's a pity

donner to give; to face; ———— **sur** to overlook

doré(e) golden

doucement softly

douceur *f.* softness, sweetness, pleasantness

doute *m.* doubt; **mettre en** ———— to question; **sans** ———— that's right; probably, doubtlessly, of course

douter (de) to doubt (about), to wonder (if); **(se)** ———— to guess

droit *m.* right

drôle odd

éblouissant(e) dazzling, astonishing

échouer to fail

éclairer to illuminate, to shine upon; **(s')** ———— to become clear

éclatant(e) bursting

(s')écouler to slip away

effectivement as a matter of fact

effet *m.* effect; **en** ———— as a matter of fact

égal(e) equal; **cela (m')est** ———— it makes no difference (to me)

également equally, also

(s')égarer to stray away

(s')élever to rise

(s')éloigner to go away, to move off

empêcher to prevent; **n'empêche que** all the same; **(s')** ———— **de** to refrain (from), to help

emplir to fill up

employer to use

empoisonner to poison

enfin in fact, in short

engager to start

engourdi(e) put to sleep

ennui *m.* trouble

ennuyé(e) bored; **être** ———— **de** to be sorry (for)

(s')ennuyer to be bored; ———— **de** to long for

ennuyeux (*f.* **ennuyeuse**) sad

énormément very much

(s')ensuivre to follow

entendre to hear, to understand, to mean; ———— **dire,** ———— **parler** to hear about

entier (*f.* **entière**) whole, entire, complete; **tout** ———— whole, complete

entraînement *m.* excitement

entraîner to lead

entretenir to maintain, to keep, to preserve

entretien *m.* keep

envie *f.* desire, longing, wish; avoir —— to wish; **donner** —— to make (somebody) wish

épargner to spare

éponge *f.* sponge

escalier *m.* stairs

esclavage *m.* slavery

essuyer to wipe

(s')établir to settle

étape *f.* stage

étonner to surprise; (s')—— to wonder (about), to be surprised (of)

(y) être (pour) to be responsible (for)

(s')évanouir to vanish

excellence *f.* excellence; **par** —— above all

excuser to excuse; **excusez-moi** I'm sorry; (s')—— to apologize

explication *f.* explanation

expliquer to explain; (s')—— to explain oneself

exprès on purpose

exténué(e) worn out

faciliter to make easier

faim *f.* hunger; **manger à sa** —— to eat enough

(se) faire to happen; —— **à** to get used to

fait *m.* fact; **au** —— by the way

falloir to be lacking, necessary

fatalité *f.* fate

fatiguer to make weary; **être fatigué** to be tired, weary; (se) —— to get tired, weary

faubourg *m.* outlying part of a town

fer *m.* iron ore

fermeture *f.* closing, closing time

(se) fier (à) to trust

fil *m.* thread

fin *f.* end; **à la** —— eventually; **en** —— **de compte** finally; **sans** —— endlessly

finir to finish; **en** —— to be finished; **c'en est fini** I am through (with); **ne pas en** —— (de) never to manage (to); —— **par** to end up; **avoir fini** to be through (with)

(se) fixer (sur) to set one's mind (on)

flamber to blaze, to glow

fois *f.* time; **à la** —— at the same time, at a time; **pour une** —— for once; **une** —— once, after; **une** —— **que** once; **une nouvelle** —— once more

fond *m.* bottom; **au** —— really, fundamentally, in the end, at the end, finally; **du** —— (de) from the far side (of)

fondre to smelt

force *f.* force, strength; **à** —— in the long run; **à** —— **de** due to, through; **de toutes ses** —— with all one's strength

forcément necessarily

forge *f.* foundry

(se) formaliser to take offence

fort(e) strong; *adv.* strongly, very

(se) fortifier to become stronger

fourneau *m.* stove; —— **à gaz** gas stove

fragilité *f.* frailty

fraîcheur *f.* coolness

frais (*f.* fraîche) cool

frais *m. and pl.* expenses

franchir to take (a step)

fraternité *f.* feeling of brotherhood

fréquenter to frequent, go often
(to)
frigidaire *m.* refrigerator
fumer to steam

gâcher to waste
gagner to earn; to reach
garde *f.* guard; **mettre en** ——
to warn against; **prendre** ——
to pay attention
garder to look after; **(se)** ——
de to abstain from
geindre to whimper
gémissement *m.* groan
gêner to bother
gentiment nicely
gigot *m.* leg of mutton
goulûment greedily
goût *m.* liking, taste; **avoir du**
—— to like; **prendre** ——·
to take a liking; **trouver à son**
—— to like
grand much, many; —— **bien**
much good; —— **chose** much;
—— **monde** many people
gros(se) fat; **en** —— roughly,
on the whole
grosseur *f.* bulkiness
grossir to gain weight
guère only
guetter to watch (for)

habité(e) lived in
habitude *f.* habit; **avoir l'**——
to be used (to); **d'**—— usu-
ally; **comme d'**—— as usual
habituer to accustom; **(s')**——
to get used (to); **être habitué**
to be used (to)
hauteur *f.* hill; **à la** ——
equal (to)
héros *m.* hero
honte *f.* shame; **avoir** —— to
be ashamed
honteux (*f.* **honteuse**) shameful
humeur *f.* mood

ici here; **d'**—— before, within
immeuble *m.* building
importance *f.* importance; **avoir
de l'**—— to matter; **prendre
de l'**—— to make people feel
one's importance
importer to matter; **peu importe**
it does not matter; **n'importe
quel(le), quand, qui** any, any-
time, anyone; **n'importe comment** no matter how
inaperçu(e) unnoticed
incendie *m.* fire
inconvénient *m.* disadvantage,
something wrong
indiqué(e) good, qualified
inévitable unavoidable
inévitablement unavoidably
inexistant(e) insignificant
ingrat(e) undesirable
inlassablement endlessly
inquiéter to disturb, to upset, to
trouble; to make anxious;
(s')—— to worry
(s')inscrire to join
insensiblement imperceptibly
insignifiant(e) insignificant
(s')installer to become established
(à mon) insu without my knowl-
edge
insupportable unbearable
(s')intéresser (à) to take an interest (in)
inviter to ask
isolé(e) lonely

jardin *m.* garden; —— **zoologique** zoo
jouet *m.* toy
jour *m.* day; **au grand** ——
in the open; **de** —— **en** ——
from day to day; **d'un** —— **à
l'autre** from day to day
juste just, fair, right; tight
justement precisely

lâche   coward
lâcheté *f.*   cowardice
laisser   to leave, to let; **(se)** ———
  aller   to yield, to let oneself; **(se)**
  ——— **faire**   to offer no resist-
  ance
lait *m.*   milk
landau *m.*   baby carriage
lassé(e)   weary, tired
lassitude *f.*   weariness
laver   to wash
légitime   legitimate, well founded
lenteur *f.*   slowness
lever   to raise; **(se)** ——— to
  rise, to get up
lieu *m.*   place; **au** ——— **de** in-
  stead of; **il y a** ——— **de** there
  is ground for; **tenir** ——— **de** to
  take the place of
loisir *m.*   leisure
(à la) longue   in the long run
lorsque   when, once
lourd(e)   heavy

maintenir   to hold
mal   badly, poorly, wrongly; **en**
  ———   wretchedly, in evil
  terms; **prendre** ——— to misunderstand; **faire** ——— to
  wrong; *m.* trouble; **se donner**
  du ——— to take the trouble
manque *m.*   lack
manquer   to lack, be short (of); **il**
  me manque   I am short (of);
  ——— **de** to miss; **je manque**
  de   I miss
(se) marier   to get married
(au) maximum   at the most
méfiant(e)   suspicious, mistrustful
(se) méfier   to mistrust, to be
  suspicious
mélanger   to mix
même   same; **de** ——— the same;
  le ——— the same; **ça revient**
  au ——— it comes to the same,
  it makes no difference

menace *f.*   threat
ménager   to spare
menteur (*f.* **menteuse**)   liar
mentir   to lie
mépriser   to despise
mer *f.*   sea; **haute** ——— open
  sea
mesure *f.*   measure; **à sa juste**
  ———   to its fair value; **dans la**
  même ——— to the same extent; **dans une toute petite**
  ———   in the smallest degree;
  être en ——— **de** to be able to,
  in a position to
(se) mesurer   to be measured
mettre   to put; to wear; to take
  (time) **(se)** ——— to put oneself; **(se)** ——— **à** to start
miel *m.*   honey
militaire *m.*   soldier
mince   unimportant
moins   less; **à** ——— **que** unless;
  au ———, **tout au** ——— at
  least; **le** ——— **du monde** in
  the least
moment *m.*   moment, while; **du**
  ——— **que** since, from the moment; **pour le** ——— for the
  time being; **sur le** ——— on
  the spur of the moment, at the
  time
monde *m.*   people; world; **tout le**
  ———   everyone
monter   to rise
mot *m.*   word
moyen(ne)   medium sized; *m.*
  mean, way; **avoir les** ———**s** to
  afford

navré(e)   sorry
nettoyer   to clean
nouer   to tie
nourrir   to feed, to support; **(se)**
  ———   to eat
nouveau (*f.* **nouvelle**)   new; **de**

———— again; **une** ———— **fois**
once again
nouveauté *f.* change

obligé(e) obliged; **être** ————
must
obscur(e) unknown
observation *f.* remark; **avoir des**
————**s** to be scolded
occasion *f.* opportunity, chance,
occasion; **à l'**———— **de** due to,
in connection with
occuper to keep busy; **(s')** ————
de to attend to, to take care of
ore(s) now; **d'**———— **et déja**
here and now
outre que besides the fact that

panier *m.* basket
paraître to show, to appear; to
look, to seem; **il me paraît** it
seems to me
par-ci, par-là here, there
pareil(le) similar, alike, the same,
such
paresse *f.* laziness
parfaitement perfectly
parfois sometimes
parole *f.* remark; **adresser la**
———— to speak
part *f.* part; **à** ———— apart
from, except that, for; **d'une**
———— on the one hand; **d'au-**
tre ———— on the other hand;
nulle ———— nowhere; **pour ma**
———— as far as I am concerned
particulier (*f.* **particulière**) special,
uncommon, particular; **en** ————
in particular
partie *f.* part; **faire** ———— to be
part (of)
partir to leave, to go; **à** ————
de from
partout everywhere; ———— **ail-**
leurs anywhere else

pas *m.* step; **faire un** ———— to
take a step
passant *m.* passer-by
passer to spend, to pass; **en**
———— **par** to go through, to
put up with; ———— **pour** to be
supposed to; **(se)** ———— to happen; to go away; **(se)** ———— **de**
to do without
pâtée *f.* (dog's) hash
patiemment patiently
pâtir to suffer
patron *m.* boss
peine *f.* pain; **à** ———— hardly;
être la ———— to be worthwhile; **se donner de la** ————
to take the trouble; **valoir la**
———— to be worthwhile
percer to break through
perdre to lose; **(se)** ———— to
lose oneself; **être perdu** to be
lost
permettre to allow; **(se)** ————
to take the liberty, to afford
persévérer to persist
perspective *f.* prospect
pesée *f.* weighing
peser to weigh
peu few, little; **un** ———— almost, about, a little, somewhat;
à ———— **près** about, almost,
nearly
peur *f.* fear; **avoir** ———— to be
afraid; **faire** ———— to scare, to
frighten; **prendre** ———— to become scared
place *f.* square; place; **être sur**
———— to stay in one place
(se) plaindre to complain
plaisir *m.* pleasure, enjoyment,
fun; **avoir du** ————, **prendre du**
———— to enjoy, to like; **faire**
———— to give pleasure, to
please
planer (sur) to hover over

(se) **planter** to take a stand
pleurer to weep, to mourn for, to cry
plonger to dive; **être plongé** to be immersed, to be involved
pluie *f.* rain
(la) plupart most
plus more; **de** ——— **en** ——— more and more; **en** ——— besides; **pas . . . non** ——— not . . . either
plutôt rather; ——— **que** rather than
poils *m. and pl.* hair
point *m.* degree, extent; **à ce** ———, **à un tel** ——— at the stage where, so much; **à quel** ——— to what extent; **au** ——— **où nous en sommes** as we stand; **en être au même** ——— to be no more advanced than before
(bien) portant(e) healthy
posé(e) set, resting (on)
poser to set; ——— **des questions** to ask questions
pourtant (and) yet
pourvu(e) supplied
pouvoir can, may; **je n'y peux rien** I cannot help it; **il se peut** it is possible
précipitation *f.* hurry
précis(e) special
préjugé *m.* prejudice
prendre to take; **(se)** ——— **à** to find oneself, to begin; **s'y** ——— **mal** to go the wrong way about it
(se) présenter to arise
presqu'île *f.* peninsula
pressé(e) in a hurry
presser to urge
prétendre to claim
preuve *f.* proof; **faire** ——— **de** to show

prévenir to warn, to let (someone) know; **être prévenu** to be set against
(en) prévision (de) in anticipation of
prier to beg; **je vous en prie** it is all right
principal *m.* main point
prise *f.* hold; **offrir** ——— **à** to let (something) have a hold on (you)
proche approaching
(se) promener to take a walk, to stroll; to go away
promesse *f.* promise
(à) propos (de) about
propre clean; own
propriétaire *m.* owner
punir to punish

quand même all the same, still, really
quel(le) . . . que whoever
quelque chose something
quelque . . . que any, whatever
quitte quit; ——— **à** even if; **être** ——— to be square
quoi que whatever; ——— **ce soit** anything

raconter to tell
raison *f.* reason; **avoir** ——— to be right; **avoir ses** ———**s** to have one's own reasons; **il n'y a pas de** ——— there is no reason, no point; **il n'a plus toute sa** ——— he is not quite in his right mind; **en** ——— **de** owing to; **se faire une** ——— to rationalize; to get used to
(se) raisonner to reason with oneself
ramasser to pick up
ramener to bring back
rancœur *f.* bitterness

rang *m.*   status
(se) rapprocher   to come closer
(se) raser   to shave
rebuter   to disgust
recevoir   to entertain
réclame *f.*   advertisement
récompenser   to reward
recouvert(e)   spread
reculer   to back out
réflexion *f.*   remark
regretter   to be sorry, to wish one could
(avec) régularité   regularly, punctually
régulièrement   regularly
(se) réhabituer (à)   to get used again (to)
rejoindre   to join
relever   to call the attention (to), to point out; ——— **de**   to be placed in the hands of; **(se)** ——— to get up again
remarque *f.*   comment
remercier   to thank; **je vous remercie**   thank you
(se) remettre (de)   to get over, to recover (from)
remonter   to go back
(se) remplir   to get filled
rencontrer   to meet, to find
rendre   to make, to drive; to give back; **(se)** ——— **compte**   to realize
(se) renseigner   to inquire
rentrer   to go back; ——— **dans** to be part of
renvoyer   to fire
(se) répandre (sur)   to spread (over)
réponse *f.*   answer
repoussé(e)   repelled
reprendre   to go on (talking) again
reproche *m.*   reproach; **faire le** ——— to reproach
répugnance *f.*   dislike, loathing

(se) résoudre (à)   to bring oneself (to)
respirer   to breathe
ressasser   to repeat and repeat
ressembler   to look like; **(se)** ——— to be the same thing
(se) ressentir (de)   to feel the effects of
ressortir (de)   to show, to appear in
restes *m. and pl.*   leftovers
rester, (en) rester   to be left, to remain
retenir   to reserve; to prevent
retomber   to go back
retourner   to go back; **(se)** ——— to look around, to turn back
retrouver   to rediscover, to find; **(se)** ——— to be again
réussite *f.*   success
réveiller   to wake (someone) up; **(se)** ——— to wake up
revenir   to come back; to insist; **cela revient au même**   it makes no difference
revenu *m.*   income
rêveusement   reflectively
rien *m.*   trifle
rigueur *f.*   severity; **à la** ——— strictly speaking, in a pinch
risquer (de)   to be liable (to)
(se) ronger   to eat oneself away
rude   harsh
rumeur *f.*   murmur

sacrifier   to sacrifice
saison *f.*   season
salle de bains *f.*   bathroom
salope *f.*   bitch
sautiller   to hop
(se) sauver   to run away
secouer   to shake
sembler   to look, to appear, to seem; **il me semble**   it seems to me, I think

sens *m.* meaning, sense; *pl.* senses

sérieux (*f.* sérieuse) serious; avec ——— seriously; prendre au ——— to take seriously

serviette *f.* (table) napkin, bib

servir to serve; ——— à to help; à quoi cela me sert-il? what good is it to me?; ça ne sert à rien it is useless; (se) ——— de to use, to make use of

seul(e) single, very, only, alone; le ——— the only (one)

signe *m.* sign; en ——— de as a token of, in token of

sillage *m.* wake

simplifier to make easier, to simplify

singulier(e) strange

solitaire lonely

(en) somme in short, on the whole

sort *m.* fate; spell

sortir to get out, to leave; en ——— to get out of it; (se) ——— de to get out (of)

soucis *m. and pl.* worries

souffrir to suffer; faire ——— to hurt, to make unhappy

soulagement *m.* relief

soulager to relieve; (se) ——— to ease, to relieve oneself

(se) soulever to rise

soutenir to bear

souvenir *m.* memory

square *m.* (public) square (with garden)

statut *m.* regulation

suffire to be enough; ——— à to be able to

suffisanument enough; long enough

suggérer to suggest

(par la) suite later on

superflu(e) useless

(en) supplément besides

supplémentaire additional, extra

supportable bearable

supporter to endure, to face, to accept, to put up with; (se) ——— to accept oneself, to put up with oneself

sûr(e) firm, sure; bien ——— of course

surmonter to overcome

surpeuplé(e) overcrowded, over-populated

sympathie *f.* friendliness

syndicat *m.* association, union

taille *f.* size

taire to say nothing (about), to conceal; (se) ——— to stop talking

tarder to be delayed, to put off

tartine *f.* slice of bread and butter, bread and jam

tel(le) such; ——— que the same as

tempérer to moderate

temps *m.* time; weather; après un ——— after a pause; de ——— en ——— from time to time, now and then; en même ——— at the same time; le ——— de while

tenir to hold; to fit; tenez! see!, look!; ——— à to want; to result from; (s'en) ——— à to be contented with

terminer to finish; (se) ——— to end, to come to an end

terré(e) buried

tiédeur *f.* mildness

timbale *f.* (metal) drinking mug

tirer to draw; to get; to pull

tomber (sur) to come across

tort *m.* wrong; avoir ——— to be wrong; faire du ——— to wrong

tôt soon; ———— **ou tard** sooner or later

tour *m.* turn; stroll; **faire un** ———— to take a stroll; to spend a while; **prendre un** ———— to become

tournée *f.* round

tout(e) complete; any; only; every, all; everything; *adv.* very; quite; completely; just; ———— **en** while; although; ———— **à coup,** ———— **d'un coup** all of a sudden; ———— **à fait** absolutely, completely; ———— **à l'heure** a while ago, just now; ———— **de suite** immediately; ———— **le monde** everyone; **plus du** ———— not at all

(se) traîner to shuffle

tranquillement quietly

(se) tranquilliser to stop worrying

(à) travers through

traverser to live through, to cross

tromper to deceive; **(se)** ———— to be wrong, to be mistaken

trouver to find; to think; **venir** ———— to come to see; ———— **à** to manage; **(se)** ———— to be; **il se trouve** there is; it happens; it turns out

urgence *f.* urgency, necessity

vacances *f. and pl.* vacation

vagabond *m.* tramp

vague vacant

valable valid, good

valise *f.* suitcase

valoir to have merit; **il vaut mieux** it is better; ———— **la peine** to be worthwhile

vanter to praise

venir to come; ———— **à bout (de)** to win over; **en** ———— **à** to come to the point of, to come to

verger *m.* orchard

vertige *m.* dizziness

vie *f.* life; **en** ———— alive

vieillir to get older

vif (*f.* **vive**) strong

(se) voiler to become hidden by the clouds

voir to see; **voyez-vous** you see!, you know!

vomir to vomit

vouloir to wish, to want; ———— **de** to want; **(s')en** ———— **de** to regret; ———— **dire,** ———— **parler (de)** to mean

voyage *m.* trip; **faire un** ———— to take a trip

voyager to travel

voyageur *m.* traveller; ———— **de commerce** traveling salesman

vue *f.* view; action of seeing